うするか

アイヌ民族最後の狩人　姉崎等

姉崎等・片山龍峯

筑摩書房

はじめに

姉崎等《あねざきひとし》さんほどクマの心を知っている人がこれまでいただろうか。姉崎さん自身も「クマの心がわからなければクマは獲れない」と言う。まさにその通りで、本書を読めば、ここまでヒグマの心がわかる人は他にいないのではないかと誰しも納得するに違いない。

姉崎さんはアイヌ民族最後のクマ撃ち猟師である。アイヌ民族は、もともと狩猟採集を中心に暮らしを営んできたといわれる。山菜や木の実の採集や川漁の伝統的な知識は今も受け継ぐ人がいるが、狩猟に関しては、北海道でヒグマ猟が禁止となり、それ以後クマ猟を本職とした猟師も次々といなくなり、今では姉崎さんただ一人となってしまった。ヒグマをカムイ（神さま）として敬ってきたアイヌ民族の長いヒグマとの歴史の中で、伝統的なクマ猟を本職とする人は姉崎さんしか残っていない。しかし、このことを単に感傷的に受け止めてはならないと思う。

最近、北海道では、これまでの駆除一本槍のクマ対策から、ヒトとヒグマの共存策へと大きく方向転換させた。ヒグマの絶滅が危惧されるようになり、ヒグマをこれ以上減らさず、人間と共存していく方向をまさぐり始めたからである。しかし、机上で共存を言うのは易しいが、現実には町に現れたヒグマを殺さずに山に追い戻すという危険な仕事をすることになる。それにはヒグマについて知識も経験もあわせもった人が当たらなければならない。そうしたときに、アイヌ民族の伝統的なクマに関する情報の蓄積や、姉崎さんのような狩人の経験が大いに役立つのではないかと思われる。たとえヒグマ猟がなくなっても、クマと接触する機会は今後増えると予測されるだけに、アイヌ民族の狩猟の伝統を受け継ぐ姉崎さんの知識と経験は、新しい形で引き継がれ、生かされていくことになるだろう。

私にとって姉崎さんは、いわば「幻の人」だった。もう一〇年以上も前になるが、あるアイヌ語の研究者から、北海道の千歳《ちとせ》にはまだヒグマ猟をして、きちんとその後の送りの儀礼も行っている猟師がいる、と聞いたことがある。しかし、その猟師は他人にそのことを聞かれるのを好まず、人知れずアイヌ民族の流儀《りゅうぎ》で猟をしているのだという。私は一度でもよいからそんな人に会ってみたいものだと心の中で思ってはいたが、他人に語ることを好まない人のようなので、かなわぬ夢と諦《あきら》め、以後そのことを忘れてしまっていた。

いまから四年前のことである。私は千歳市に住むアイヌの女性、中本《なかもと》ムツ子さんのウパシクマ（貴重な体験の言い伝え）を本にする作業をしていた。全部で一〇話の話の中に犬の話が一話入っていた。千歳は優秀なアイヌ犬（今では北海道犬とも呼ばれる）を輩出したところとして有名だったので、誰かアイヌ犬について詳しい人はいないでしょうかと中本さんに尋ねた。すると中本さんは姉崎等さんという人に電話して、話を聞かせてもらえることになった。私は姉崎さんという人がどんな人か全く知らなかった。千歳駅近くのロイヤルホストで姉崎さんという人にお会いして話しているうちに、この人こそあの「幻の人」だと思った。ヒグマ猟を長年やってきてアイヌ民族の流儀で儀礼もやってきたと話したからだ。姉崎さんはその頃アイヌ民族無形文化財の事業の一つで、山の中で使う狩り小屋やイタチやテンの罠《わな》などを実際に作って見せてビデオで記録する仕事に協力していた。この仕事がとても気に入った様子で「いま面白い仕事をしているんです」と楽しそうだった。また、北海道大学がヒグマに電波発信器を取り付けて追跡調査する仕事にも協力していて、これも楽しそうにやっている様子だった。ヒグマが突然遠距離に移動してしまい、発信器の電波が届かなくなってしまうことがある。すると途方にくれた研究者が姉崎さんのところに来て、いったい今どの辺りにヒグマは行っているのでしょうかと尋ねることが何回かあったという。そのたびに、この道を辿ってここに行っているはずだと予測すると、その後で必ずそこにいたという報告が入ってきたという。

私の方も、ちょうど日本犬のルーツを遺伝子で探るテレビ番組を作ったばかりだった（北はアイヌ犬から南は沖縄の琉球犬、そして韓国、モンゴル、台湾の高地民族の犬、インドネシアの在来犬などを取材しNHKで放送したもの）。そのビデオテープを姉崎さんに差し上げ、とても喜ばれもした。そして、それ以降、私が北海道に行ったときに時々お会いして話すようになった。

あるとき、姉崎さんが、著名なアイヌ文化の研究者が録音機を持って自分の体験を聞いて行ったと語ったことがあった。それを聞いて、こんなに貴重な人の体験をいろいろな人がその一部をつまんで各研究者の名でどこかで報告してしまうのだろうと思い、惜しいことだと痛切に感じた。そして、姉崎さんの名でその貴重な体験の全体がわかるような本を残せないものだろうかと考えた。そのことを告げると、姉崎さんは実は自分でも自らの体験を書き残したいと思って少し書きかけたこともあったが、途中でやめてしまったのだという。それならば私が聞いて姉崎さんが答えるのを録音し、それを本にまとめましょうと提案した。姉崎さんは嬉しそうに承諾し、さっそく二〇〇〇年五月二〇日、千歳全日空ホテルの一室に二人だけでこもり、聞き取り作業が始まった。

そのとき、姉崎さんは意外なことを口にした。「クマは私のお師匠さんです」と言うのだ。クマ撃ち猟師の師匠がヒグマだとはなんとも奇妙なことではないか。クマ撃ち猟師にとってヒグマは、なんとしてでも倒さなければならない相手だ。こちらに少しでもスキがあれば、強烈なパンチ力のあるヒグマは猟師を一撃で殺してしまう力を秘めている。クマはいわば油断のならない「敵」ではないか。それがなぜ「師匠」だと言うのだろうか。しかし、何度聞き直しても「クマは私のお師匠さんです」と言う。そこでまず、その話をプロローグで姉崎さんから語ってもらうことにした。

片山龍峯《かたやまたつみね》

目次

クマにあったらどうするか

アイヌ民族最後の狩人　姉崎等

〔凡　例〕

一、アイヌ語の表記法として、子音は半角で表すことが多いが、本書ではすべて全角で表記した。
二、本文中のアイヌ語および北海道方言は、その語の後にカッコで訳または説明を入れた。
三、写真は、一〇五、一八七ページに掲載されている三点が語り手の姉崎等の提供であり、その他はすべて片山龍峯が撮影したものである。

プロローグ　クマが私のお師匠さん

語り　姉崎等《あねざきひとし》

私は、クマを自分の師匠だと本気で思っています。なぜクマが師匠かというと、クマの足跡を見つけたときにクマを一生懸命追って歩く、そうやって追っていくうちに、山の歩き方やクマの行動などをすべて学んだからなのです。

クマというのは人間より歩くのが達者で、地形の選び方も優れています。「なるほどこうやって歩くと人間が考えて歩くよりずっと合理的で楽だ」ということを何回もクマから学びとったのです。結局、知らず知らずのうちにクマが私に山のすべてを教えてくれたので、クマを師匠と考えるようになったのです。当時私に山を教えてくれる人はいませんでした。

私が二二、二三歳の頃は、毛皮が一番手っとり早い収入源でした。当時は狩猟資格を取ったら誰にでも猟ができて、場所を特に制限されることもなかったから、私は入れる山にどんどん一人で入ろうとしました。山を知らないけど、しゃにむに入って行ったんです。

一番最初に山に登ったときはとても怖かったです。登って行きながら山の片側だけこういう形だなと理解して登って行くんだけれどその裏側が怖いんですよ。山に地獄があるわけではないけど、その裏にどんな滝があるのか、どんな地形になっているのか、わからないだけに怖い。怖いながらも登って行く。これを私の表現で「山の裏に地獄があるように怖かった」と言うんです。険しい山を登りきって行けるのもクマが先に行っているからで、登る道筋をクマが教えてくれる。それをたどっているうちにクマは次の山、次の山へと移って歩く。その移り方もケモノ道を通って歩いて行く。ケモノから教わるから歩き方も達者になるんですよね。

人間が歩くのと違う点は、人間というのは高い山に登って次の山に移るときに、高い所まで登ってまた下ってまた登って行くという歩き方をするんです。しかし、クマはある程度のところまで登ったら次の山に移ることを考えるんです。七合目まで登ったときに斜面をどの勾配で切って行くと次の山へ移れるのかということは動物から教わった方が早いんですよ。もっとも、そのことを考えながら後を追って歩かないと教わったことにならないんだけど。

私は全く知らない山をただクマに頼って後を追って歩きました。なるほどこうやって歩けば楽だよなと感心する。感心しながら歩くので自然と身についてくる。そして次の山に移るのにも、このような移り方で行くと楽だなと。ようするにクマから教わったということで、山の歩き方についてはクマが私の師匠なんです。そうしているうちに目的であるクマに一番接近できるようになるんです。ケモノの道を追って歩くから一番早く接近できることになる。

山の崖場の渡りというのは登山家はピッケルを使って登るんですけど、私はそういうことはしない。クマが行けるんだから私も行けると思って追って行きます。だけど、クマにはピッケルの働きをする爪があるからすごいところを登ったり下りたりするんです。怖くて後ずさりするくらいの、雪崩の起きやすいような個所でもクマは平気で渡って行く。クマは人間が見る目と違って、ほんのわずかな爪の掛かるところがあったらそれを見つけて必ず渡って行くんです。

人間の目から見たらこんなところ渡れないと思う場所でもクマは渡って行く。それをじっくり観察しながら追って歩くことによって、学び取りができる。だから私がそうやって歩いていると他のハンターは「等《ひとし》の歩いたあとなんか、あんなところクマも歩かんよ」って。そのくらい他のハンターから見たら荒くて（崖地で険しくて）歩けないところを歩く技を身につけたんです。これはみんなクマから学びました。

だから人間から教わった人は後ずさりして私について来られません。ここはクマが行ったんだからって私が言っても「クマが行ったって俺は人間だ」って全然相手にしないのです。そして振り向いたらその人はもういないんですよ。そのくらい私の歩く所は他の人が歩けない。それは人間から教わったのとクマから教わったのとの違いだと思います。

私は必ず動物が渡って歩いたんだから行けるっていう信念を持っていましたね。それと私の場合は相棒がいないのでクマを追って、追いついてやろうという猟師的精神が強かったから真剣になって追ったことがそのうち教わった形になったんだと思います。たとえば道の歩き方ですと、どこそこにいたクマを追って獲ろうと思う。でもそんなに簡単に獲れるものではないから逃げられることの方が多いんですよ。そうして相手を追っていくうちに「なるほどな」と思うのは、クマは山の最短距離をとる歩き方をする。多少荒いところでもすいすい進んで行くんです。

それから動物と人間との考え方の違いというのは、クマはハンターに追われて逃げようとしたら楽なところへは逃げないんです。人間というものをよく知っていると思うのは、人間は来れないだろうと彼らが読んでかかるんです。たとえば、上から行けば三キロで目的地に着けるのに、時間をかけて下からわざわざ五キロも一〇キロもあるところ、山の荒くて登ったり下ったりするところを逃げるんです。時間をかけて逃げるんですよ。普通ハンターというのは足跡を追う習性があるものだから、クマはその習性を逆に利用してそういうところを逃げる。ところが、クマから習った私にしてみればクマの作戦が逆に読めるから、ああクマはここに逃げるから、私は上からクマの先に行こうって、そういう先読みもできるようになるんです。

クマが食べたら大丈夫

アイヌの人たちがいろいろな食べものを食べているでしょう。これらは昔、クマが食べているのを見て「クマが食べているんだから食べられる」って覚えたものが多いんです。

池とかヤチ場にヤチレンゲが咲いているでしょう。あれと似ているんだけど、アイヌ語でカパトというハスのような花が咲く植物がある。葉っぱは水の上にあって、根は地面をはって、けっこう太い根で黒い皮を剝ぐと、中はダイコンとは違うけれどもダイコンのような白い身。それを食料のない年にクマが水からあげて食っていたのを見た。「ああ、クマが食えるんだからいいだろうな」ということでアイヌの人も採ってきて食べたの。食べてみたけどそれは渋くて食えるものではなくて、今度は切り干しカンナっていうダイコンをおろすカンナがあるでしょう、それで皮をむいて全部細切りにしてゆでて、ゆでてから今度は水だしするんです。川へつけておいてアクを取る。そうしたら、これはおいしいもんですよ。ダイコンとそうかわりなくて。私たちは小さい頃はずいぶん食べている。これらもやっぱりクマが食べていることから学んで食べているんです。

母親から、カパトの食べ方はクマが食べているのを見てそれをアイヌが真似したんだよと聞いたことがあるんです。そしてそれを私も採りに行ったことがあるけど、川もある程度改良されて、今は近いところになくなったね。ものが豊富になったからそういうものをもう今は食べることないですよね。

クマに習ったキノコ狩り

カルスカル（キノコ狩り）なんかもクマから教わったものだね。秋になって、木材を伐った残りの枝や端材の下には昆虫が隠れているんです。昆虫を捕るためにクマは雨降りでも木の端材を転がす。クマはキノコを作るために転がすのではなく、昆虫を捕るために木を転がすんだけど、その後を歩くとものすごい量のキノコが出ます。落ちている木の枝の上をクマがただ歩いただけでもその後からキノコが出てきます。そしてクマが歩いていないところには一つも出てきません。それを応用したのがアイヌの人のカルスカルなんです。そしてニキクク（木叩き）って木を叩くというのも、それはクマが踏んだり転がしたりするときの振動が必要だってことがわかったからです。それだってアイヌの人たちが一回で覚えたんではない。何回か失敗を重ねたりして覚えたのだろうと思います。

それからクマの足跡にキノコが出るというのは、クマが歩くと枝が折れるときに振動が出るためなんです。それを知って、七月になってから風倒木を叩きに歩くと、地上にある枝の上を私たちが歩いただけでもキノコが出てきます。そういうことでキノコが出るということがわかってから、支笏湖《しこつこ》の高い山にキノコを採りに登って行った。マサカリなんか担いでいくのは大変ですから、ノコギリがあれば他の木を切って木でもって叩いたりできる。でも、何もないときでも木の上にあがって他の木につかまって揺さぶる。この揺さぶるだけでもキノコが出ます。クマから習ったのと、それから自然からも覚えた。というのは台風の後にキノコが出るというのもやっぱり同じ原理です。台風が来ると風で叩かれる振動や揺さぶられる振動でキノコが出ます。その木に振動を与えることによって木の中に目に見えない小さな隙間ができて、そこで菌糸がどんどん成長する。その代わり振動を与えた木の寿命は短くなります。

千歳のアイヌの人たちは森の中に入ってキノコを栽培していると言っていたわけですが、ただ木を叩くだけのことです。でも自然にキノコが生えているのを探すよりはるかに大量に採れるわけで、ごよう籠といって竹で編んだ四角い、昔の商人が背負って歩いた籠だけど、そのかなり大きい籠を五つ六つくらい背負って行くくらい採れます。一人では全部背負えないです。だから木を叩いて歩くときは、私は体力があったので一人でやりましたが、収穫のときは日当を払って取り子を雇いました。

目が肥えてくると、木肌を一目見ただけでこの木は出るぞ、この木は出ないぞというのがわかります。同じナラの木でもそれを見ただけで違いがわからないとダメなんです。

私の碁の仲間を連れて行ったら木があれば全部叩いていました。ナラの木に出るんだけど、倒れた時期を見るだけの力がないとダメです。たとえばこの木は秋口に倒れた木だから出る、この木は春に倒れた木だから出ないというように。見分けるのはちょっと難しいけど、私らは木の肌で一目でわかるんですよ。

一時期は若い人たちもやったんです、金になるから。けれど真面目に働くという精神の人でないと続かないんですよ。雨の日に行って叩くわけだから。今のようにマーケットにそういうキノコ類がないときであったし、シイタケがテレビでガンに効くって宣伝していたときだから飛ぶように売れました。一個二〇円で売れました。雨が降っても山に行くんだという気にさせるだけの収入がありましたよ。これも元々はみんなクマが教えてくれたことなんです。

第一章　こうしてクマ撃ちになった

姉崎さんが山の歩き方を学んだのはヒグマからだという。なぜ人間から教わらなかったのだろうか。そこには何か特別な事情がありそうだ。そのあたりを聞いてみたい。

また、アイヌ民族の男子がすべてプロの猟師になるわけではないだろうから、姉崎さんはどんなきっかけで猟師になったのだろうか。そして、一体どういう子どもが猟師の道に入っていくのだろうか。子どもの頃は、どんなものを獲物として獲っていたのだろうか。

当時、狩猟の収入だけで生きていくことができたのだろうか。姉崎さんの生い立ちをうかがってみることにした。

アイヌ民族の村で育つ

大正一二年七月一日、私は鵡川《むかわ》村のキリタップという、今ではその地名のないキリタップ番外地で生まれました。三歳のときにはもう千歳《ちとせ》のママチの奥に移り、さらに烏柵《うさく》舞《まい》番外地に移動したのはだいたい五、六歳の頃でした。

父、姉崎駒吉は福島から来た屯田兵でした。父は私が生まれる前に先妻を亡くして、そのときすでに大きくなっている女の子が四人いたんです。その子どものうち二人が再婚した父についてきて、あとの二人は親戚に預けたそうです。

鵡川村にいたときの父は、おもに炭を焼く仕事をしていました。当時は山を買って、焼《や》き窯《がま》を七枚くらいもって焼き子を雇っていたんですが、あるとき、大雨で山津波が来て、崖崩れを起こしてしまった。それがもとで結局、倒産してしまったんです。それまでは羽振りがかなり良かったそうです。千歳に来てからは、逆に人に使われて働いていました。

八歳の頃には蘭越《らんこし》にあるアイヌ民族の集落に移りました。というのも、私の母はアイヌ民族ですから、そこに母方の身内が大勢いるのでそこの集落に落ち着くことになったんです。

チポエップと呼ばれて

アイヌ民族の集落で暮らし始めると、私はよく人からチポエップ（「混ぜ煮」という意味が転じて、隠語の「混血児」という意味になったもの）とか混じり子と言われました。そのため、小さいときはアイヌ民族の集落で、私のようなハーフは冷たく扱われて、アイヌ民族に伝わる狩猟の伝統はほとんど教えてもらえませんでした。母方のおじさんも近くにいたけど、ものをもらったという記憶もあまりありません。けっきょく、私が混じり子だったからだと思うんですよ。大人たちが集まって猟の状況を話し合っていても教えてもらえないので、そばに寄って盗み聴きをして、いろいろなことを覚えました。

たとえば、カムイチセ（クマのこもっている穴）を見つけたら、その穴を杭《くい》でふさぐのにはどうするのか、などということは盗み聴きをしていたのでわかるんです。会話にアイヌ語が混じっていても多少の聞き分けはできるものです。一つ一つを教えてもらえないから、そばでじっと聴いているんですが、子どもながらも私は真剣でした。

小学三年で一家を支える

蘭越の家は山の中ですから、九歳になったときにやっと千歳尋常小学校に入りました。その頃からは父の仕事がなくなり生活は苦しかったですね。

そんな苦しい中で、私が一二歳のときに父がなくなってしまいました。七二歳でした。イテカンノという名の母は目が悪くこれという女の仕事もないので、私は尋常小学校三年くらいから家を支えるために金を稼ぐことを一生懸命に考えるようになりました。

兄は学校に入るためにずっと親戚に預けられたっきりで同居していませんでしたから、家は、妹たちと母親と四人暮らし。なかでもあまり学校に行かないのは私だけでした。学校はほとんど行かないで、三年生までも休んだ方が多かったです。私が働かなかったら食えないので。

たまに学校に行くと貧乏だから「貧乏人の子ども」と言われたことはありましたけど、それはどこでもあるし、いじめだと思ったこともありません。弁当はもちろん持って行かれませんでした。そして家庭が苦しいので家をなんとか楽にしてやろうという気持ちが強かったし、学校なんか後からでも行けると思っていました。

人から貧乏と言われたって、もともと貧乏人の子どもではないんだ、と心の中では思っていました。父親が鵡川村にいた頃に羽振りがよかったということを知っていたので、自分が根っからの貧乏人の子どもではないということが励みになりました。

私の父親は屯田兵でこちらに来たので、こんぺいとう（金の徽章）が一つ付いた軍隊のマントがありましたし、事業をしていた頃の金の懐中時計も持っていたので、ああ、口だけではなくて本当に羽振りがよかったんだなと、本当に励みになりました。だから働けばそのうち金持ちになれるんだと思っていました。

狩猟少年時代

八歳の頃から住んでいた蘭越というところは、みな朝起きるのはそんなに早くないんです。でも、私は子どもの頃から貧乏が嫌いなので、近所からまだ煙が上がらないほど朝早く起きて魚を釣りに行ったり、その魚を焼いて乾して千歳の旅館に売りに行ったりしました。

当時は水中の石の下にいる川虫や、秋口になるとドングイ虫（イタドリの茎の中にいる蛾の幼虫）が、今と違って農薬もあまりなかったのでたくさんいましてね。千歳川でヤマメもたくさん釣れて、新子ヤマメ（その年に生まれた一〇センチくらいのヤマメ）だと一匹一銭で売れました。大人の日当が一円二〇銭の頃に一匹一銭のヤマメが一〇〇〜一五〇匹くらい釣れたから、一日に一円から一円五〇銭も稼げるんです。そうすると子どもながら大人並みの収入を得ることができました。

私は一生懸命やっていたけど同じ集落の人で釣りをする人はあまり見かけませんでしたね。大人の人が釣りをやっているのもほとんど見ませんでした。

でも、その集落では山で狩猟をする人がたくさんいました。子どもにできる狩猟はイタチとかノウサギ猟。罠《わな》を仕掛けたり、竹筒の道具を使って捕るんです。大人ほど捕ることはできないけど数を多く仕掛ければまあまあ捕れるので、一二、一三歳になったらずいぶん捕っていました。

近くの王子製紙の発電所に勤めている人のところに山でとれたものを持っていくと、魚でもシイタケでもみな買ってくれるんですよ。その当時魚一匹と同じで、シイタケも一つ一銭で売れたから、狩猟をやっている近所の人たちは割合と生活が楽でした。そういうわけで、近所には山のものをとったり、狩猟をやって生活しているアイヌの人たちが多かったんです。

その頃に捕ったイタチでお金を稼いだことは、私が狩猟の道に入るきっかけになりました。他に仕事がなかったので、働いてお金になるといったらイタチ捕りが一番てっとり早かったんです。

それでも一五歳のときには、板金屋に三年のあいだ頑張れば店をもたせるという約束で奉公をしました。でも、古いものばかり食べさせられるのが嫌でやめました。翌年の一六歳のときには、三年のあいだ頑張れば、孕《はら》み牛を一頭もらえる約束で牛飼いの仕事を月一三円の給料でやったこともありましたが、これは四カ月でやめてしまいました。

当時、千歳には札幌営林局の苗の圃場《ほじょう》があって、そこは子どもでも働くことができました。当時の家庭では薪《まき》を焚《た》いていましたから、そうした家に払い下げる薪の調査をするときに二、三人の役人の小間使いに使われてね。調査した木に番号をふったり番号札を釘で打ちつけたりする仕事でした。

給料は大人で一日一円二〇銭くらいですが、私は一円貰いました。そして女性は九五銭くらいでした。私はずいぶん走り回って、あんちゃん、あっち行ってこい、こっち行ってこいって言われてゆっくり歩いたことはありませんでした。とにかくその頃から家を支えるくらいがんばって仕事をしていました。

一七歳で家を建てる

一七歳の頃は兵役を目の前にして、親のために家を建てようと思い立ち、仕事を転々としながらも自分でも偉いと思うほど働きましたよ。毎朝三時には起きて仕事をしていました。そして昭和一四年、一七歳のときに蘭越に家を建てて母親を住まわせました。

当時の家は茅葺《かやぶ》きでしたので、家を建てるときに資材を取り寄せるのが大変でね。知り合いに助けをかりて一週間がかりで茅を刈って馬で運んできました。前に営林署にいた関係で、木を安く払い下げてもらうこともできました。

大工さんは、集落に素人大工がいたのでその人に頼んで払えるところはお金で払って、払えない分は大工さんも農家の人なので妹がそこへ行って働いて払うということにしました。

その頃はもっとお金を稼ごうと、札幌に出て彫刻の仕事もしたことがあるんです。アイヌの知り合いがいて、お金になるという評判を聞いて彫刻をやらせてくれって頼んでね。当時はクマ彫りでなく、ペン皿や壁掛けを作っていて、それはすごいお金になりました。土産ものでそういうものがかなり売れた時代があったんです。それから下駄屋さんが下駄を持ってきたときに模様を入れたり、お盆の模様も彫っていました。

とにかく私は酒もたばこもやらないで一生懸命働いてきました。酒で身をもちくずす人も多くいましたが、私はそういう人を見ると、酒を飲んでばかりいるから貧乏するんだよなって思いました。だから酒やたばこは、余裕がなかったせいもあるだろうけど、やる気は全然起きなかったですね。

しょっぱい河を渡って樺太へ

昭和一八年、二一歳のときに軍隊に入りました。赴任地は樺太《からふと》、カミシスカ。もともと札幌の月寒《つきさっぷ》にいた二五連隊という部隊が樺太に行き、要《かなめ》二二三二部隊になってそこに入隊しました。ですから入隊のために初めて稚内《わっかない》から樺太へしょっぱい河（海）を船で渡りました。

けっきょく樺太には国境の近くに三年くらいいました。そのうち私たちは戦場で終戦になったのだけれど、当時は軍の中で敗戦を発表しませんでしたから、ソ連との戦闘は八月二〇日を過ぎても続けていました。向こうから攻めてきて短期間だったけど激戦でしたよ。

私の目の前でわずか一〇分か二〇分くらいのあいだに、一個小隊が全部やられてしまいました。銃による接近戦でなく大砲で撃たれているから、子どもの頃読んでいた『爆弾三勇士』のマンガと同じで、人間の形をしたのが塹壕の爆破で空を飛んでいくんです。

私たちの持っている武器は小銃と迫撃砲が三門。そのうちに敵の戦車が三両登ってきたので迫撃砲を撃つと、山手に着弾して爆破して戦車が一両ひっくり返って、残りの二両は引き返したので私たちは助かりました。

その後、ソ連の捕虜になりましたが、北樺太でいろいろな作業を一年間くらいしました。ツンドラ地帯に一本の国際道路があって、戦争のときにソ連が戦車でどんどん攻めて来たのでぐちゃぐちゃになってしまった。その道路の修復工事をしていました。

私が北海道へ引き揚げて来たのは昭和二一年の一二月です。樺太の引き揚げ船としては一番早いんですよ。船は函館に着いてそこから汽車で千歳に帰ってきました。旅費などの引き揚げ費用は国から全員が三〇〇円を支給されて、どのくらいの価値があるのかわからなかったけど大事に持ち帰って二〇〇円が残りました。

帰ってみると母が亡くなっていて、妹は嫁いで家にはいませんでした。弟と兄もすぐに出稼ぎに出るということで、私が家に残る兄の子ども二人を面倒見ることになったのです。

アイヌ女性と結婚

　昭和二三年、二五歳のときに結婚しました。家内は近所に住んでいたアイヌ民族で、石狩の方から来た系統だと聞いています。家内はアイヌ語は全然できませんし、狩猟をする系統の家でもありませんでした。その頃から結核で体が弱く、しかも当時は治療薬のストレプトマイシンは高く、しかも闇でしか手に入らなくて金銭的にもとても苦労しました。その頃から、千歳にある米軍基地で働くようになりました。どうしても確実な現金収入が欲しかったからです。

　夜になると山へ入ってイタチを捕り、その収入は一日行くと、昼のあいだ働いていた米軍基地の給料に近いだけの稼ぎがありました。それが毎日続いたので相当儲かったはずですが、貧乏から抜け出すことはなかなかできませんでしたね。家内の入院費が一万二〇〇〇円もしましたから。この入院費を払うと生活費が残らないんです。

　それで、私は石狩支庁まで医療保護をくれって言いに行ったことがあるんです。そうしたら、あんたの言うことはわかるんだけど、できないんだって。所長まで出て来て、こういう法律なんだから、あんたの苦しみはよくわかるけど医療保護は出せないんだと。

　今は国民健康保険ってどこででも使えるでしょう。でも、その当時は、健康保険というのは苫小牧とか札幌とか大きな市町村だけでしか使えなくて、千歳では使えなかったんです。そういう時代があったんですよ。国民なのに、国民健康保険がなんで使えないんだって思っているから喧嘩したんだけど、所長は譲りませんでした。

しようがないから、苫小牧に知り合いを頼って住民票を移して、保険を適用してもらってやっと入院費用が出ました。それから少しは楽になったけど、それでも貧乏からは脱け出せませんから、とにかく働きました。昼も夜も一生懸命働く。

ある晩、歩いていると、蔓《つる》が足に引っかかって、転ぶくらい疲れていて、ドタンと転んだらもうめんどうくさいと思ってね。ここで寝てやれって空を見上げて月を見ていたら、「俺は健康なんだ、だから幸せだ」って思えてきてね。「でも弱いものはかわいそうだ、動きたいのに動けないいんだから。俺はまだいくらかでも動けるんだ」って思いなおして、また起きあがったんです。

私はよく言うんです。クマより怖いのは貧乏だよって。クマやお化けが怖いって言う人は、まだ余裕があるんだって言うんですよ。私にはそんなことを言う余裕がなかった。貧乏の方がよっぽど怖いんですよ。

当時はこうやって、私はやっぱり小さい頃から山に暮らしてきたから慣れたことをしようと、夜は、イタチを捕ったりキノコを採っていました。子どものころから自分が一番慣れていることをしたわけです。

兼業ハンターになる

山に入り始めた頃の生活は、朝七時半頃に米軍基地に出勤してリフト・ドライバーの仕事をして、それがだいたい夕方の四時半から五時頃に終わる。その後は、自分の家に帰らずに真っすぐ山へ入ってしまうんです。

秋ならすぐに辺りが暗くなるので、最初は恐ろしい気持ちもあって、軍隊に入る前に買っていた鉄砲を持って歩いていました。夜道のイヤなことは、木の枝が垂れ下がっていて、雨降りだと水を吸った幽霊の手みたいなのが首をすうっと撫でるんです。これはイヤだったですよ。

それでも山に入ってシイタケを採ったり、秋になったらイタチ捕りもやった。早いときでも家に帰るのは夜中の二時を過ぎるんですよ。

イタチだったら捕ってきたものをその日のうちに皮をむいて板に貼り付けないと製品にならないから。それをやって寝るとうんと遅いときは夜中の三時になっていました。それでも翌朝の七時半には家を出るから、三、四時間しか寝ないときはいくらでもあった。それが五、六年続いたね。

そもそもハンターで勤め人というのは私だけなんですよ。結局、一人でも歩けるんだという、まあ私は意地もちょっと強かったから一人でずっと歩いていたんです。

まわりのハンターが「等《ひとし》、一人で歩いたってクマを獲れるわけないぞ」って陰で言うのは毎度聞いていましたね。彼らはグループ猟で私は単独。でも「冗談じゃない、一人で歩いたって獲れないことない」というのが私の考え方。しかもクマの足跡を一人で追って歩いているうちにクマからいろいろ教えられて、クマのことを知りきってしまうと、下手なハンターを相棒にするくらいならいない方がいいと思うようになったんですよ。いつしかクマが渡っていける個所なら私も渡って歩けるという自信もついてきたんです。

山の幸に生かされる

子どもの頃からよく捕っていたイタチというのは、湿地帯とか川沿いに多いので、一つの川に沿ってずっと登って行き、そこから山越えをして次の川に移るんです。私が山に入るのは夜で、クマの巣のあるようなところも歩きました。だけどクマを恐れる気持ちよりも仕掛けたイタチ罠《わな》のある所を見ながら真剣に歩くので、怖いと思う余裕なんてありませんでした。

イタチは竹筒の罠で捕るんです。罠は、毛皮の仲買商人にイタチの皮を渡したときに道具を注文すると、そこで揃えてくれるんです。エサは、安くて日持ちするものといったら魚のハタハタでした。仕掛けの道具が二〇くらいありましたのでそれに合わせてハタハタを買いました。イタチ猟は三日ごとに分けて罠を仕掛けて順番に回収に行くと、少なくとも一日に五、六匹。たいていは七、八匹から一〇匹。多いときで一六匹も捕ったことがあります。

毛皮は四インチの幅で二〇インチ伸ばす規定があるので、イタチを捕って帰ったら食事をする前に皮を剝いで板に釘で打ちつけて一昼夜くらい乾燥させ、その状態で仲買商人に売るんです。イタチは高価なので国内では使わずにほとんど輸出していました。皮の値段は、軍隊に入る前は三、四円だったのが、昭和二六年の物価の上昇で八五〇円まで上がっていました。狩猟のできる私にとっては、仕事のない時代でもイタチ捕りは一番手っ取り早い仕事でしたね。いいときは九五〇円の値がつくこともありましたし、支那事変（日中戦争）以降には毛皮の値がぐーっと上がりました。そんなにいいイタチ捕りでしたが、後々の年金のことを考えて安い米軍基地の仕事を優先しました。昭和二六年で米軍基地の一般雑務で初任給は七四五〇円だったことを覚えています。

イタチの毛皮の値段は、ミンクを輸入して飼育するようになってから落ちてきました。首巻きにもなったしコートにもなったし、ミンクとかリスはそういうものに使われる高級品でした。ただ、高く売れるときでもイタチ猟は秋だけ、一一月に入らないとだめでしたから、一年中イタチだけ捕っているわけにはいきませんでしたね。

とにかく、当時は食べるものなら何でも飛ぶように売れる食糧難の時代でしたから、千歳川にそ上するサケも捕って仲買商人に売りました。サケは自由に捕れたわけではないけど、兵隊に行って苦労してきて何の補償もないのは国が悪いんだと、私はそういう気持ちだったからサケくらい捕ったからといって国に文句を言われる筋合いはない、俺の生活をここまで追い込んだ責任があるって、逆に反発もありました。

それにサケを捕ってもわりにうるさくなかったんですよ。サケ・マスの孵化場の下流はうるさいけれど、そこを過ぎて上って来たサケにはうるさくないんです。だから丸木舟に乗って、マレッポ（かぎ銛）っていう道具で捕っていました。マレッポで捕ると魚が傷まないんです。丸木舟を使って一般の人ではなかなか乗りこなせないやり方で、川を上って行ってグッと曲がり、バランスを崩しそうになりながらも、うまく乗りこなして魚をずいぶん捕りました。

その頃は一年を通してみれば、どちらかというと釣りをしている時間の方が多かったですね。釣った魚は買い手がいないときは生かしておいて、後で売りました。それから川の縁に生えている水菜を刈って干しておいて一〇本ずつ編んで、その一〇本の束を一〇束ねて一〇〇本にして、売るときは一〇〇本を一組にして売りました。また乾燥した魚も、当時は今ほど海の魚が出回っていなかったので売れました。釣りに来て私の魚を買って行く人も札幌の旅館に卸すために買って行くんです。今はヤマメに金を出して買う人はいませんが、当時、ヤマメは価値のある魚でした。

夏場は釣りが多くて秋にイタチ猟。それが終わると雪の上でノウサギ猟。そして鉄砲を持つようになってからはリス。

リスは千歳の街から今の青葉公園の山を通って家に帰るまでの四キロの間に二〇匹は捕れました。木の上ばかりでなく地上の歩いた後を追っていくこともあります。リスは人が近づくとキキキッと鳴きながら木に登る習性があって、木の上に上がったら止まったきり動かないでいます。そこを撃って落とすのです。

リスの肉はエサが木の実だからおいしいんですよ。イタチは食べないで、皮だけ。イタチはネズミなどを食うので臭みがあります。まあ、それでも年寄りは食べたんですよ。

冬のノウサギ猟の罠にはまず針金の輪を作るんです。ウサギは必ずウサギ道を作るので、ウサギがピョンと跳ねる中間の場所に罠を置くと、跳ねた途端に輪っかの中に頭が入って首が締まる仕掛けになっています。その針金で作った罠を一メートルくらいの枝にくくっておくと、掛かったウサギが逃げたときに首がしまって早く死ぬので罠もあまり傷まないで済むんです。立ち木にくくり付けておくと罠に掛かったウサギが暴れて針金が切れる率が高くなりますから、罠にはほとんど枝を使います。跳ね上げの罠は作るのに手間は掛かるけれど、獲物を間違いなく捕ろうというときには手間が掛かっても跳ね上げを使います。

当時、針金はわりと手に入りましたが、道具を大事に使わないといけないので、わざわざそういう手間の掛かることをしました。家から離れた猟場に入ったときには罠が壊れてもさっと手に入らないから、そういうときに不自由な思いをしないために、道具を無駄にしない工夫をしたんですよ。

犬と一緒にムジナ猟

一番お金になったのは、やっぱりムジナ（エゾタヌキ）ですね。当時、ムジナは高かったので、繁殖させようとしてつがいで飼っている人もいました。ギンギツネが養殖されていない時代にそれに代わってムジナが高かったんですよ。後にギンギツネが入って来て養殖されるようになったらムジナの価値がドンと落ちてしまった。

ムジナは罠ではなく、アイヌ犬で猟をします。ムジナの穴が見つからなくても、ムジナが出歩いていれば犬が追いつきますから。全部犬が嚙み殺します。鉄砲は使いません。それでも毛皮に嚙んだ後は全く残りませんから大丈夫。

ムジナ猟は、私の母の兄のポンエカシから習いました。その人はムジナ猟専門の人なんです。

ムジナというのは笹やぶとか竹やぶといったブッシュに暮らす動物だから、犬と一緒にやぶの中に入って捜します。やぶの中では人の足の速さと犬とでは違うから、犬の動きを見ていて、そのうち見えなくなったら、仕方がないからそこで犬の帰りを待ちます。犬と主人との信頼関係はとても大切で、三時間でも四時間でも犬を信頼して待っていてやるんですよ。すると犬は必ずそこへ戻って来ます。捕れても捕れなくても戻って来るんですよ。

犬はムジナを運んで来られないので、その場所に置いてくるんです。それでも息を切らしてハァハァ言いながら嬉しそうに飛んできます。ムジナを捕ったときは犬の顔がニコッと見えるんですよ。そういうときの動作もまた違う。戻って来たらクルクルと私の周りをまわって。主人が待っていてくれたなあっていう安心感もあるんです。主人がいてくれたという喜びも顔に出すんです。そしてクルクル二、三回まわったら自分の来た方へ行こうって袖をくわえて引っ張るんですよ。それで、よし、捕ったか捕ったかって、頭を撫でてやるんです。袖をくわえて自分の行こうという方へ引っ張っていって、先に行きながら主人がついて来ているかどうか立ち止まって振り返るんです。

犬の後を急がずについて行くと、犬も私が後をつけられるくらいの速さで歩くんです。捕った場所からだいたい三〇~五〇メートル近くなったらもう飛んで行ってしまうので見失ってしまいます。そうなると近いことがわかります。犬の行った方向に行くとハク、ハクともう一回獲物を嚙んで殺し直すんです。そうするともう声は出しませんね。素人の犬の場合は声を出しますが、プロになったら声は出しません。

逆に獲物が捕れなかったときの犬の顔は情けないですよ。歩きの表情も違います。頭をうなだれるようにして。捕れなかったって必ずわかります。そのくらい表情が変わります。そうすると、ああ駄目だったか、よしよし、今度でもいいよ、と言ってやるんです。

それから、犬が自分で殺せなくても、ムジナに穴に入れられたり木に登られたりしてもやっぱり行こうって私の袖を引っ張ります。顔は少しがっかりしているけど行こうって言うんですよ。ああどこかに捕れなかったのがいるんだなってわかるんです。殺したか殺さなかったというのは犬の表情で全部わかるんですよ。

それとムジナ猟にはもう一つ技があります。木のウロの中にムジナが入った場合です。ウロの中といっても三メートルも四メートルも下にある場合があるんですよ。穴の中を見たら深くてムジナの姿は全然わからないけど、それを技で引っ張り出すことができます。犬に噛まれてウロの中で死んでいるのも、それから、まだ生きているのも引っ張り出すことができます。

使う道具は「毛よじり」というもので、木の先を割って、穴の中に入れて、木の先の間にムジナの毛を挟んでクルッと巻いてしまうのです。木が太かったら半巻き巻いたら毛が抜けてしまうから、ある程度細くないといけない。これを計算できなかったら駄目なんですよ。

私は箸の先くらいの細い木でも丈夫な木を選んで、その木の先を割ったらそれにクサビを入れてちょっと広げる。それで穴の深さと同じくらいの長さの棒で穴の中をつついてみると、ムジナに触ったか土なのかは感触でわかるんですよ。そしてムジナだとわかったら、突っつきながら少しねじるんです。そうすると木が回らなくなるだけ毛を締めてしまうから、そうしたら木を引っ張ってみるんですよ。引っ張るとムジナが浮くのがわかります。それでも深さがある場合にはいくら浮いてもムジナが動いたら落ちてしまうんですよ。そうしたときにはもう一本棒を使うんですよ。そしてねじり棒で二カ所ねじると持ち上がります。

このねじり棒でクマの二歳仔くらいまでは上がって来ますから、かなりの重量を持ち上げることができます。穴が曲がっていても、うまく入るような棒を使って、曲がったなりに引き出すこともできます。材料は柔らかくて丈夫な二間半（四、五メートル）くらいの長いアオダモの木。太さは箸の棒の先くらいあれば大丈夫ですからそのようなアオダモの細いのを使います。

クマに学んだキノコの栽培

天然キノコは春、雪が解けたらすぐ出るんですよ。千歳にはキノコの生えるナラの木が多いですから、天然キノコを採っているうちに七月の二〇日頃になります。

その頃になると自然栽培といって、ナラの木なんかに振動を与えてキノコをたくさん出す方法があるんです。

これはクマの行動を見て人間が学んだことで、クマは野生動物だから雨が降ろうと風が吹こうと山に暮らしているから、習性にしたがって昆虫を掘るために倒れている木を動かすんですよ。その木が秋に伐った端材だと、クマの動かした振動でキノコの菌が育ちます。それを応用して千歳のアイヌの人は木を叩いてキノコを自然栽培したんです。

その当時、相当金になったなと思うのは、キノコの採る量が違うんですよね。バイクの後ろに大きな籠《かご》を三つ、前に一つ乗せて家に帰って仲買商人に採ってきたキノコを買ってもらいました。仲買商人が来ないときには近所のおばさん方を雇って売ってもらうんです。日当を払っても利益がありました。一日で、籠を一つ持っていって、採ってきて売ると五人分くらいの日当になりましたからね。

今のようにマーケットにどこでも出ているとなると価値はなくなるけど、当時は天然ものしかなかったのでキノコっていったらどこの家でも買ってくれました。しかもその頃テレビでキノコが癌に効くというので飛ぶように売れました。

そういうことで一年を通して山と川という恵みをずっと追っているとけっこう生活ができたんです。貧乏から抜け出すのには二〇年もかかって、ようやく一般の暮らしになりました。それでも金が儲かったっていう形にはならなかったです。

高騰《こうとう》するクマの皮

当時クマの皮の値段はそれほど高価ではありませんでした。ですから、それほどクマ猟は盛んではなかったですね。昭和二七年頃にサウス岳（狭薄山。支笏湖《しこつこ》の北西。海抜一二九六メートル）を教えてくれたおじいさんと行ったときは、クマの値段が一頭当たり毛皮だけで二万円までしていなかったんですよ。その頃、イタチの皮を一万六〇〇〇円とか一万七〇〇〇円で買いに来ていた皮屋さんが、それだけの値段しか払わないっておじいさんが言っていました。

それはかわいそうだなって思っていたら、東京で事業をしていた私の弟から、「兄貴、クマの毛皮は手に入らないか」っていう連絡を受けて「手に入るけど」って言ったら「それなら買って送ってくれ」って言うんです。ちょうど獲ったクマが安値で困っている時期だったので、これはいいと思って、そのおじいさんから毛皮を二万円で買ってあげるよって言ったら喜んでね。それを弟に送って、私も何千円か礼金を貰いました。弟はそれを東京の金持ちに売ったようでした。

昭和三〇年頃まではクマの値段はそんなにしなかったんですよ。その後からぐんぐん値段が上がって一七、一八万だ二〇万円だ。たちまち、昭和四五、四六年には一頭獲ったら七〇万だ、八〇万円だっていう値が付いたんですよ。これは日本の景気がよくなったからだと思います。

クマ猟を始める前に

クマを仕留めようと山に入ってから四、五年は、とにかく高い山を歩いていました。地形を知らないために山を覚えようと考えたんです。たとえば支笏湖周辺から行ってみると、周辺でどの山が一番高いかを見て、その一番高い山を目標にして登りました。獲物がいるかいないかには関係なく、まず一番高い山を目指して一生懸命登ったんですよ。

そんな高い山には獲物がいるわけないんだけど、高い山の頂上にたどり着いて周囲を見渡して今度はどの山が高いかを探すんですよ。これが馬鹿なことのようでいて、結局は利口だったんだと思います。つまり、高い山から次の高い山を目標にしてどんどん登っていって、山と山を結んで周囲の地形を体で覚えてしまったんです。

そうやって歩くところにはクマはいるはずはありません。でも、若い頃の私は山を知らないし、どこをどのくらい歩くという目標もないから行動範囲が狭いんですよね。家を出るときはクマ撃ちに行ってくるからって一応家族の者には言っても、出かける当人は場所を全然知らないんですよ。誰も教えてくれる人がいなかったからね。そうやって山を歩いて支笏湖周辺から定山渓《じょうざんけい》、中山峠《なかやまとうげ》とだんだんと広い範囲で山を覚えていくようになってからは絶対に迷わなくなりました。

私たちは子どもの頃から、「サウス、サウス、サウス」って聞いていて、サウス岳に行ったらカムイ（クマ）がどうこうだったというような話ばかり聞いていたんですよ。サウスには、かんじきのような大きな足跡のクマがたくさんいたとか聞いていたものだから、その山になんとかして行きたいものだと思っているうちに、隣の家のおじさんとその友人がサウス岳へ行くというので、兄貴と私が連れていってもらったんです。「あの向こうに見えるのがサウスだよ」ってそのおじさんが言うので、「よしオレ、これからあそこへ行ってくる」って言ったんです。まだ昼だったけど、もし山をぐるっとまわって遅くて帰れなくても何も心配しないでくれ、私は山に泊まるからって。うちの兄貴を誘ったけど行かないと言うので私一人で行ったんです。そうしたら、本当にクマの足跡がたくさんありました。そしてサウス岳までずうっとまわったら、もう暗くなっていたんです。

そのとき、向かいの山をクマが登ってたんですが、見るだけでした。暗くなってからだから尾根沿いにとにかく山の内側を歩いていきました。山歩きに慣れてしまえば本当は山を越して歩けば近いのだけれど、そのときは初めての山だから回ってえらい遠回りして歩いたと思うの。初めての山で迷ったら困るからと思って、そうやって稜線《りょうせん》を越えないようにしてこちらの峠まで来ると恵庭鉱山《えにわこうざん》の峠にぶつかったんです。そしたら上からガスがかかって雪明かりでよくは見えないけど、かすかには下が見えました。それを下ってクチャ（狩り小屋）に帰ったときは夜一〇時を過ぎていましたね。

こんなことを繰り返して山を覚えてしまうと、あとは山のどこでも泊まれるという自信がつきました。心配ないんだと。食料は、何もなかったから塩を持って歩けば、当時はエゾライチョウでも何でもいるから捕れたものを食べてでも大丈夫だっていう頭があるから。いくら暗くても平気で、歩けるあいだ歩いて、そして寝るところをつくって山のどこででも寝た。だから山を覚えたら、私自身は野生の動物となんにも変わりがなくなったんですよ。

初めてのクマ猟

ある日、クマ猟をやろうと思って夜の山を歩いていたときに、木の根株《ねかぶ》を見たら真っ黒い大きなものがあるんですよ。それを見て「ああ、いた！」と。弾を詰めてそのクマだと思った黒い根株に向かってだんだん寄って行くけど動かないんですよ。

私は、まず撃たないんですよ。いたって思うとズドンと普通はやるんですよね。そしたら木の根株を撃ったとかっていう話があるんだけど私は滅多に撃ちません。相手が動かないから撃たないんですよ。そのときもけっきょくクマじゃなくて根株でした。そんなに最初からクマなんて獲れるもんじゃないんです。

あるとき、私の母の兄で、ポン・アチャポという人が白老《しらおい》の山に行かないかって誘ってくれたんです。その人は、度胸のある人でした。クマもずいぶん獲る人だから暮らしも立っていたけど、そうまじめに働かなくてもいいという考え方の人でした。

そして、山道を、今のシシャムナイっていうところから高台を上がってシラッチセ（岩屋）に向かって行って下りていきました。一日中歩くうちに、シラッチセの裏にある沢に行こうということになった。深いフクロ沢が二つも三つもあって春になるとよく小グマ連れで遊ぶ場所だっていう話をそのおじいさんがしていたんです。

でもそのときは、山に一日中いたけど時期が早かったとみえて雪がぬかってそれ以上は歩けなかったんですよ。私はどうしても歩きたいと思っていたけど、そのうちポン・アチャポがもう帰るからと言うので、私一人残って泊まっても道がわからないので、仕方がないから夜具や食料はシラッチセに置いて私も一緒に帰りました。

帰ってきたら、すぐに材木屋で仕事をしないかと誘われたので、獲れないクマを相手にしているよりいいだろうと思ってすぐ仕事に就く方を選びました。けれど支笏湖まで置いてきた荷物を取りに行くのが大変で、なんとか仕事の前に取りに行こうと思って相棒を誘ったら忙しくていけないと言うので一人で行くことにしたんです。

今でこそ道があって車で行けるようになりましたが、当時は支笏湖の周囲の道がなくて湖畔からボートを借りて漕いで渡って、向こうのポロピナイで船を揚げて、そこからさらに山に入って四キロ以上あるんですよ。とにかく歩いてシラッチセに行って一晩泊まって次の日には帰るつもりだったんです。ところが、せっかく山まで来たんだし、私一人なので、どうとでも動けるから、一日だけでも歩いてみようという気になったんです。

鉄砲を持って山を上がって行ったら、どうもクマの足跡らしいへこんだ跡があるんですよ。雪をかなり被っているから古いんだけど、雪を掘って確認してみたら埋まった雪の中に小さなクマの足跡が見えるんです。ああ、これは子連れグマがいたんだって思いました。「もし子連れなら、ポン・アチャポの言っていたあの沢止まりに向かっているはずだから、恐らくそこに行っているだろう」と思ったんです。

その日は天気がいい日だったので、こんな小さい子グマを連れて歩くぐらいのところだったら私もいけるぞと思って足跡をつけて行ったんですよ。ところがどんなに子グマだといっても爪があるから岩壁の尖った雪の乗っていないところをどんどん下りているんです。「なるほど、考えたらクマは爪があるし、俺は爪ないしなあ」と思いました。私は岩壁の手前まで行ったけど、出っ張りになっていてなかなか下りられませんでした。

それでも山を歩く人たちのいろいろな話で、そういうときは周囲にある曲がる枝の先をつかんで跳べばいいとかって聞いた知識があるので、周りを見て枝をつかんで跳んでみた。でも、そのときはかなりひどい目にあいましたね。それでもだいぶ下に下りて沢なりに今度は足跡が登っていくから、追って登って行ったらフクロ沢の方に登っている。

やっぱりそうだと思って、静かに上がって行って、ひょっと向かいを見たらクマが見えたんですよ。でも私が来たのをもうわかっていて、反対の山に親グマが先頭をきって逃げていたんですよ。

一頭は八メートルくらい、もう一頭は一五、一六メートルくらい離れて、二頭の子グマが親グマの後ろについて登っているんです。子グマはその年に生まれた小さい子だから、「よし、これは絶対獲れた」と思って。それはだいたい七〇メートルあるかないかだったと思います。村田銃の有効射程は一五〇、一六〇メートルはありますからね。これは、クマを仕留めようと山に入って初めて見たクマでした。持っていた銃は若い頃から使っていたものだからすごく命中率が高くて、私は絶対に仕留めるぞと思って、がっちり狙ってドンと撃った。

そしたらクマはゴロッとひっくり返ったんですよ。「やったー」って思いました。でも、やったーって思った次の瞬間にクルッと起きて、のそのそ歩き出したんです。それで、もう一発撃ったらまたゴロンとひっくり返るんですよ。人を馬鹿にしてって気になって、三発目はもう木の茂みの中に入ってクマの尻しか見えなかったのを撃ったので駄目でした。

クマ撃ちのあいだでは、「クマのあばらの三枚目を狙え」ってよく言うけどそれは腕の付け根を狙えっていうことなんですね。クマの急所は見る角度によって違うんですけど、真横になっていれば腕の付け根を狙えるからね。

そのときは後ろからで背中を見せているので狙いとしてはいいところ、だいたい肩のはずれから、腕の付け根あたりを狙ったんですよ。肩胛骨《けんこうこつ》を破るように撃ちました。そうして撃ったらゴロンとひっくり返ったので「やったー」と思ったとたんクルッと起き上がってまた登り始めたんですよ。

私もくやしいから「クマが行ったところなら私も歩ける」と思って、そこの沢を下りていきました。クマが登っていったところは少し勾配がきついのですが、「あのちっちゃいクマも上がっていったんだ。俺の方が達者だ」と思って行ったんですよ。そしたら全然追いつけないんです。足が速くて。小さいやつを連れた親グマが上の平らなところに出たら、今度はどんどん走っているんですよ。そしてあたりを見てもどこにも血が一滴も残っていないんですよ。

一体なんでクマがゴロンと倒れたのか、そのときは全くわからなかった。それで、帰ってから、なんで倒れたのか周りの人に聞いたんです。そうしたら、「それはお前の弾が高かったんだ」って言うんです。弾が背中をかすめたのでゴロンと倒れたんだって。

その後、何年も経験を積んでわかってきたのだけど、背中を弾がかするとクマはゴロンと倒れて、腹をかすめるとパッと跳ぶんですよ。これはシカでも同じです。背中の毛をちょっと弾がかすめただけでもコロッと転がる。つまり、弾に反応していくらかでも自分でよけたというかたちになるんですね。

ケチャップをつけたクマ

ある日、近くの山で知り合いの息子が三メートルくらいのところからクマを撃ったら、「ドロドロした赤い血を流して逃げて行った」と帰って来て言うんです。

私たちプロになってからはどういう血を流したかと血の色を聞くんですよ。弾の効き目が、致命傷になっているのか、かすっただけなのかというのを血の色で判断します。そしたらドロドロの血を流したと言うんです。ドロドロということはもう弾が効いているということなんですよ。そして血糊《ちのり》がゴボッゴボッと固まるようになるとかなり弾が効いたところに当たっています。そして、かすったくらいの血の場合はみずみずしくスウーと流れる血なんです。そういう差がある。そしたらドロドロの血を出して行ったっていう。ゴボッゴボッと音もしたっていう。

結局、そのときの鉄砲の弾は当たってなくて、当時は米軍が演習地にケチャップとか残飯を缶の口を切っただけでまるごと山に捨てていったんです。その残飯を求めて、辺りにはすごいクマが集まってきて、昼間歩いてもクマがいるくらいでした。そんなクマがケチャップを体じゅうにつけたまま逃げて、こぼして行ったんですよ。結局、弾はどこにも当たってなかった。だからそういうことをたくさん見聞きしているから、私が初

めてのときクマに弾が当たらなかったのも後になって理解できたんですよ。初心者がクマを撃つのは、たとえ至近距離でも難しいものなんです。

仕留めたクマは六〇頭

私はこれまでに、単独では四〇頭近く、私が指揮をとって集団で獲ったのを合わせると六〇頭くらいのクマを獲りました。この数はクマ猟をしていた人の中では多いと思います。だいたいクマというのはそんなに獲れるものではないんですよ。昔の人たちは八〇頭獲ったとか何とかって言うけど、それは集団の猟も含まれているんでしょうし、ある程度の話のふくらみもあると思います。だから私が獲った数というのは、北海道のクマの棲息数が少なくなった割にはかなり多い方だと思います。

私が猟をしていた頃はすでに北海道のクマの数は相当減っていたんです。当時、営林署の山林事業が盛んだったので、木を多く伐ったため山が明るくなって獲物が見やすくなったということもクマが獲りやすかった原因だと言えるんですよね。そういうことで私たちは昔の人よりもクマを獲りやすかったことはあるでしょう。私の場合、クマを四〇頭近く獲るのはわりあいと早かったんです。二五、二六年でその数を獲りましたからね。

本格的に山に入って歩くようになった二四、二五歳の頃は、米軍基地に勤めていましたが、当時はまだ有給休暇制度がなかったので、制度ができてから休暇を春にまとめて、半月くらいもらうようにして猟をしました。それくらいあると春の一シーズンを歩けるんですよ。そのあいだにはクマを必ず獲りました。必ず獲らなければならないと思って歩くと獲れるものです。

ところで、私は子どもの頃から大人になった今でも、「あんたはアイヌと和人の両方の流れを引いているけれど、自分ではどう思っているんですか」と聞かれるんですよ。そういうときに私は、どちらかを名乗らなければどっちつかずになると思うから、「自分はアイヌのクマ撃ちです」と言うんです。隠すことによって抵抗がでますから、アイヌだと名乗った方がすっきりするんですね。そうしないと、「和人ぶったってアイヌの血を引いているんだ」とよく言われるんですよ。だから堂々と「自分はアイヌだ」と言っていたら最後まで抵抗なしに終わるんです。そう名乗っていた方が、隠し看板のないところで堂々とどこでも話せますから。

第二章　狩人の知恵、クマの知恵

山の中で野生動物を追う狩人は、動物の習性を先読みすることでその動物を捕らえることができる。あるときはその動物の習性を利用して罠《わな》を仕掛け、またあるときは、通る道を読んで先回りする。狩人は様々な知恵を身につけているはずだ。また、猟のときに、アイヌ犬は、どうしても欠かせないほど重要な働きをする。優れた猟犬を作り出すにはどのような方法があるのだろうか。こうした様々な狩人の知恵を姉崎さんに尋ねてみた。

一方、ヒグマのほうも、クマ撃ち猟師から逃れるために驚くべき知恵を発揮していることが姉崎さんから明らかにされる。クマは、私たちが考える以上に、人間という動物をじっくりと観察していて、その行動の裏をかこうと予想を超えるような知恵を使っていた。

狩人の知恵も凄いが、クマの知恵もまた恐るべきものがある。その両者の知恵を聞いてみた。

携帯する食料

——ある程度の期間を山で過ごす場合、姉崎さんは山に何を持って行って、何を食べていたんですか。

まず、米を五升（約九リットル）くらい布の袋に入れて持って行きます。これは布袋に入れておけば枕にもなります。それと一緒に、私はよく味そをサラダ油で炒めたものを持って歩きました。作り方は、ゆでた切り干し大根かワカメをすっかり刻んで味そと一緒に油で炒めて、それに揚げなども入れてよく練ればできあがりです。これに熱湯を入れれば溶かすだけで味そ汁になり、真水で溶かしても冷たい味そ汁になるので便利です。

——自家製のインスタント食品ですね。米と味そ、ほかに食べものでは何か持って行きましたか。

塩は持って行きます。塩は味そと比べて同じしょっぱみでも量がなくて間に合うんですよ。やっぱり荷物を軽量にすることを考えて歩きますから。昔よく「塩を持つより味その方がおいしいだろう」と言われましたけど、そりゃ味そは塩よりおいしいんですよ。

でも、歩くのに一番都合のいいように、なるべく荷物を軽くして歩いていました。

――その塩は山で獲ったものを食べたりするときに使うんですか。

当時はエゾライチョウという鳥がいて、あれはおいしい鳥で。少しの塩味でまるごとゆでたものを、くるんでおいて食べるんです。でも、だんだんライチョウも少なくなったしね。

ただ、私たちは、よっぽど必要なときでなかったら鉄砲は撃たないんです。というのは私はクマ撃ちだから、やたらと鉄砲の音はたてないんです。特にクマがいそうな山へ行ったら一切撃ちません。そういうときは食わないで我慢するんですよ。

それから、クマが獲れたときはクマの肉を煮たり焼いたりして食えるだろうと思うでしょうが、クマの肉だけ食べたら人間の腸は消化しないんですよ。だから山の中では、ほとんどは米と味そ汁を食べてました。

――お米を炊いたりする用具は何を持って行きますか。

飯盒《はんごう》ですね。私たちは、飯盒いっぱいに米を炊くんですよ。増えるようにしていっぱい炊いたやつを朝に食べるんです。それと犬が一匹いるから、ちゃんとお米を餌としてやってね。それで残った分は晩に食べるんです。

――そうすると炊事の時間はあまり取らないんですね。

そうです。たとえば晩に何かの都合でお米が足りなくなったらご飯のまま食べないで、湯づけにして量を増やして食べました。

――お箸も持って行くんですか。

箸は持って行かないで山で作ります。木の枝というより幹でもって割り出してきれいな箸を作るんですよ。枝よりも幹の方が使いやすいものができます。それと幹なら木のへらを作ることもできるから、スプーンとかしゃもじのようにも使えるんですよ。

――山に入るときはいつも作るんですか。

箸は山へ入ると毎回作って帰るまで常に使います。それで最後に山に捨てて帰ってくるんです。

――持っていく米が五升ということですが、これで何日くらい山でもつんですか。

朝と夕方食べて、昼はほとんどなしで、一日二回、それで一〇日はもちます。私は山に入ってても入らなくてもあんまり食べないようにするんですよ。あんまり食う人だと体力が持続しないですよ。大食する人は元気が出るかといったら、絶対に出ないんですね。胃袋だけが大きくなっていて、少しでもお腹がすいたら全く、グターっとゆでた菜っ葉のように弱いですよ。

――ずっと一日二食で、ご飯一膳と味そ汁くらいでもつんですか。

はい。それで山を歩き続けるんです。

小食でスタミナ維持

——小食なのはアイヌ民族のライフスタイルなのですか、それとも姉崎さん独自のやり方ですか。

昔のアイヌの人たちは、山の中でブドウでも何でも少しは採って食うけど、基本的には朝食べて昼は食わないで歩いて、夕方にクチャ（狩り小屋）に戻ってから食べていました。

——では同じですね。朝と晩の二食。昔のアイヌの人たちもあまり食べなかったんですね。

食べないです。だけど昔はムジナがたくさん捕れたから。そういう肉を煮て弁当に持って歩く人もいました。

——冬山に入る一週間くらい前から肉を食べて、体力をつけるというようなことはありましたか。

別にないです。まあ私は山歩きばっかりしていたから、体は十分できていると思うんです。

——狩人は昔から、米と味そと塩なんかを持って歩いていたんですか。

私らの時代には味そを持つのはちょっと贅沢で、塩だけの場合もありましたね。

——米と塩。米がない時代には何を持って行ったんですか。

そのときは、たとえばトウモロコシのようなものでも持って行ったんですよ。

――昔の人は、肉をゆでて乾かしたものを持って行ったりしませんでしたか。

それはかなり古い時代。アイヌの人でも古い時代で、炉の上に肉を掛けておいてサカンケ（乾し肉にする）したものですね。昔の人はそんなものを懐に入れて歩いていたんです。昔はそんなに米をたくさん背負って弁当を持ってということはなかったから、そういうものをちぎって食うようにしてたんですね。

――乾し肉を作るときは最初に肉をゆでて脂分を取ってしまうわけですか。

脂分を全部は取らないんです。

それから、山で獲ったクマの肉は、それを大きく切って裂いて、小屋の中にぶら下げるんですよ。そうすると自然と汁が切れるから、帰りに乾いたものを背負って歩けるんです。

非常食

――山に持っていく非常食というとすぐに思い出すのがチョコレートなんですが、姉崎さんは非常食に何を持って行きますか。

チョコレートはかなり栄養になるし疲労回復するって言うけど、私は甘いもの好きだから食べ過ぎちゃうんですね。だから意識して持って行かないようにしています。

——非常食としては何か持って行くんですか。

非常食はハムを持つんです、少し太いゴロっとした四角い、長さ一〇センチくらいのものを。他にはべつに持たないですよ。

——もしもっていうときに備えてですね。

遭難しても一日二日は生き延びようっていうことです。全体をパックされているハムだと、長い間手をつけなくてもずっと持って行けるから次もまた使えるんですよ。でも自分ではついに一回も非常食を使ったことはないですね。ただ準備だけは毎回していきましたが。

山から採る栄養

——猟をしている間に飲む水はどうするんですか。水筒を持って行ったりするんですか。

そういうものは持って行かないです。昔は自然がそんなに汚れてないから、山の水を飲んでも大丈夫でした。今は飯盒《はんごう》でいったん沸かしてから飲んでいます。キツネの媒介する病気の恐れがあるんでね。

——木の幹にちょっと傷をつけて樹液を飲んだりはしませんか。

露《つゆ》をとって飲むやつですね。たとえばコクワ（サルナシ）の木の蔓《つる》。蔓を切るとけっこう露が出るんですよ。そんなにおいしい味はしないけど。一応、ビタミンやミネラルを含んでるんです。

――ほかに山で採れる栄養の補給方法はありますか。

トドマツの新芽は、かじって露だけを吸うんですよ。そうするとけっこう体にいいんです。

――それは水分の補給だけじゃなくて、栄養分もあるんですか。

栄養分もあります。だからアイヌの人が山へ行くと、フップチャ（トドマツの枝）白湯を作るって言ってね、マツの葉を折ってきてパリパリと焦がして、それでおかゆの中へ混ぜるんですよ。

――その中へ入れてダシを取るためにですか。

そう。そうするとダシって言ったってマツ脂《やに》臭いでしょう。ところがそうやって食っていたアイヌの人たちは偉かったなあと思うのは、同じものを捕虜になったときに飲んだんですよ。

――戦争に行って、ソ連で捕虜になったときですか。

はい、トドマツの葉にはね、ビタミンがたくさん含まれているから、捕虜になって食糧不足だし、栄養失調になるからといって、トドマツの葉を大きな釜でお茶にして、作業から帰って来たら一杯なり二杯なり飲んだんです。

――それは姉崎さんのアイデアですか。

いや違って、ロシア人が飲んでたんです。とにかくマツ脂臭くて最初は飲めるもんじゃないんですよ。けれどやっぱり体のためだと思って飲んだ人はたくさんいるんです。

――それはアイヌの人たちが昔からやっていた方法と同じなんですね。

はい、たとえば山に入ってかんじきを履いて歩いて疲れるでしょう。そうすると、トドマツの葉っぱの新芽の葉先だけをむしってかじるんですよ。露だけを吸って吐き出すわけ。そうしたら体は疲れないからって言われていました。

――そうやって実際に効果はありましたか。

そうやれば歩けるんだって言われるから、やっぱりやってみて真似ているうちにクセになってかじれるようになるしね。でもとても臭いですよ。

――まさに山の非常食といったものですね。ビタミン、ミネラルがいっぱい入っているんでしょうね。

だからそういうものを食べて歩いていたアイヌの人は偉いなと思うね。それと昔のアイヌの人はフップチャ以外だと、山ブドウの実のかじれるようなところとか、コクワ。あとセタルポポっていうのも食べていましたよ。

――セタルポポとはどういうものですか。

セタルポポ（エゾノコリンゴ）は小さい赤い実でね、食べると梨のようなカスが多いんですよ。ほかにも山を歩いていると、食べるものがかなりあります。私も若いときは弁当を持たないで山へ行きました。何でも山にあるものを食べて歩いたんですね。やっぱりアイヌの人にはそういう知恵があったからね。

――山に入れば、何かあるから弁当を持って行かなくても栄養がとれたわけですね。

今の時代になったらそういうハンターはいないです。カップラーメンなどを持って歩く時代なんだから。

お酒は神のために

――姉崎さんは普段ほとんどお酒を飲まないのに、山に入るときはお酒を持って行くんですよね。

はい。酒は山へ入るときには持って行きます。昔は二合、今はワンカップですね。酒はまず最初に火の神様にお祈りするときに使います。容器は何もないから飯盒《はんごう》の中蓋に入れて、一応、酒箸を削って、カムイノミ（礼拝）をしてね。火の神様が終わったら今度は、ヌプリコロカムイ（山の神様）に。これからお世話になるのでよろしくと言って、山の中に何日くらいいて山を利用することを頼み、それと無事を祈るんです。

――姉崎さんは、お守りとか持たないと言っていましたが、それは火の神様と山の神様に挨拶すれば守ってもらえるということがあるからですか。

はい、まずそれだけお願いして山に入れば自信が持てますから。

——あと無事に一頭か二頭のクマを仕留めて山を下りるときの挨拶か何かはあるんですか。

別に特別なことはしません。心の中でありがとうございました、くらいのことを思っているだけです。

——持って行ったお酒を毎晩ちびちびやることはないんですか。

そういうことはないです。私は普段飲まないから持って行ったお酒も二合を一回で飲むっていうことはないですよ。火と山の神様に捧げたのを捨てるわけじゃないけど、少しなめる程度ですね。

——寝る前に体を温めるために、ウィスキーを山に持って行く人がいるでしょう。こういうのはどうですか。

まあその人の健康状態によると思うけど、酒の合わない人もいるから。よくアイヌは酒を飲んでって言うけど、どの社会でも怠け者っていますよね。仕事もしないけど暇さえあれば飲んでいるような人。

——ほんとはほんの一部なんでしょうけども。

私は見ていて酒を飲んでいる人もいたけど、普通の人で昔のアイヌの人はそんなに酒は飲まないですよ。

——ましてや猟にお酒を持って行って、毎晩お酒を飲もうっていう人はいないんでしょうね。

まあ、やっぱり酒好きは何人かはいましたよ。千歳鉱山にある私が随分泊まったシラッチセ（岩屋）は高いところにあって、下からそのシラッチセに行くと酒の瓶がぽーんと飛ぶのが見えたっていうから、そういう人もいたらしいけど、普通はあんまり持って歩かないね。火の神と山の神さまに使う分だけ酒があればいいんです。

狩人の山の格好

――姉崎さんはいつもどのような格好で山に入るのですか。

山に入るときに特別なものは着て歩かないですね。まず足元からいくと靴は長靴。あのどこでも売っている黒い膝の下までの。冬は家のまわりでも長靴はいつも履いています。かんじきを履いてスキーのように滑って使いたいから、あまり滑り止めの付いた長靴はよくないんです。かんじきは常にリュックの後ろに背負って歩いています。

――靴下は毛ですか。

靴下は市販されているちょっと厚手の靴下。毛じゃなくて、ごく普通の綿とかポリエステルかなんかの混じったようなものです。ほかの下着と同じく靴下も別に予備を持ったことはないです。

――汗をかいたりして冷えてしまいませんか。

若い頃は汗をかいたら靴下は全部濡れちゃうんですよ。ところが寒中の寒いときに濡れたからって濡れたものを絞ったら駄目です。足がすぐに凍傷にかかるから。だから濡れたのをそのまま履いて、夜のあいだに乾燥させて、次の日の朝にがばがばっとしたやつをもういっぺん柔らかくもみほぐして履くんです。それで大丈夫なんですよ。

――ズボンはどんなものを穿いていくんですか。

普通の作業ズボンですね。昔は毛布のようなズボンも穿きました。今でいうと、下が少し細くなっている乗馬ズボンというやつですね。その下にももひきなんかも穿いていたけど、あまり厚いものを下には穿きません。毛布のズボンを穿いたときは、ズボン下くらいでいいんです。

――上の方へ行くと下着のシャツはどんなものを着ますか。

ほとんど長袖のシャツです。シャツは、うんと寒い地方に行く場合は汗をかいて冷えるから、できるだけ木綿ではなく毛の方がいいんです。それで、少し暖かくなる四月頃からの春グマ猟のときは、木綿のシャツを着ます。

――シャツも歩いていると汗をかいて濡れるでしょう。それも予備の着替えを持って行かずに、そのままにして同じシャツで通すんですか。

はい。それを帰ってきて、狩り小屋の中で枯れ木か生木を焚いて乾かすんです。とくに生木を焚いて乾かしているとね、まったく燻製の匂いがするんですよ。少しずつ匂いがついてくるから自分では慣れてしまってわかんなくなりますが、山で着てきたものを家に戻って脱いで玄関に置いておくとすごい臭いがします。

一度、定山渓《じょうざんけい》に行った帰りに車に乗せてくれって札幌から来た人に言ったときは、乗りなさいって言うからありがたかったけれど、いやいや後で悪かったなって思いました。あの人はどれだけ臭かっただろうかってね。

――シャツの上には何を着るんですか。

寒い地方に行くときは毛のシャツを持って行くけど、ちょっと厚めの作業ジャンパーがあればそんなもんでいいです。日中はそれでも暑いときは脱いで歩くこともありますよ。

――冬の山の中でジャンパーも脱いですぐシャツになるんですか。

そうですね。薄いセーターは夜のために持って歩くけど、だいたい歩き出したら上着なんかは背負って行きます。

――手袋はどうしますか。

手袋は軍手ぐらいです。あの白い普通の軍手を一組だけ持ちます。

――あと首から上で身につけるようなものは何ですか。

たとえばうんと寒い地方に入るようなときは、首だけの太さの手製の首巻きを作って首にだけ巻いて行きます。マフラーでなくて、首巻を一枚首に巻いているとシャツ一枚分は違います。

――その首巻きってどんなものですか。

毛糸で首の太さの分だけ、だいたい幅一〇センチくらいに編んだもので、市販のものはないですがそれを頭からかぶって首に巻いていると、保温はとてもいいですよ。

――それは便利ですね。市販されてもいいくらいですね。それで、首巻きからさらに上にいくと、耳あてなんかはいらないんですか。

耳あてはいらないです。耳は常にやっぱり聞こえるようにあけておくんです。それに山の経験のある人ならそんなに耳は寒さに弱くないんですよ。

――めがねを常用する人は予備のめがねを持つとかそういうことはしないですか。

目の弱い人は、春の陽射しの強いときに雪目になってしまいますから、サングラスや、目薬も予備は持って行った方がいいと思いますよ。私は雪目にならないから何も使いませんが。

――帽子はかぶるんですか。

帽子は軽い帽子。スキー帽のような毛で編んだ軽いものをかぶります。でもスキー帽のように耳を覆うようなやつではないですよ。寒がり屋でないので。

着るものの色

――着て行くものの色はどうですか。安全な色、危険な色というのはありますか。

黒いとクマと間違えて撃つハンターがいるから、黒いものは着ません。できるだけ白い服装をして山に入ります。いつだったか、定山渓の奥に入ったときに、赤い線の入った黒い帽子をかぶっていたんですよ。クマを一頭倒して解体するために座ったり立ったりしていたら、遠くからライフルで狙われました。黒いものが引っ込んだり出たりするから、撃とうかと思ったたって言ってました。撃たなかったからよかったけど、そういうときって当たるからね。

ですから、クマ撃ちに入るときは必ず白いものを着て山に入る。でもシカ撃ちに行ったら、白いものを着て入るとシカのお尻に間違われてね。だからそこにないような赤い色をいれます。今でも着るものにはかなり神経を使っています。

――クマは色が見えるんですか。

クマは見えているんでしょうが、あんまり色を気にしないですね。

――山の中で座って濡れないように腰にクマの毛皮をつけて歩くと聞いたことがあるんですが。そういったものは見た目でクマと間違われそうですね。

たとえばシカ猟に行くとき、それがゆえに事故にあう場合もあるし。やっぱり毛のものだから間違われて撃たれたりもしますよ。尻の方から見たらそっくりだから、そういう間違われるようなことはできるだけ避けるようにした方がいいんです。

――帽子はどんな色が一番いいと思いますか。

帽子はやっぱり赤い色がいいですね。これは人間同士にわかるように。クマっていうのは多少見えても目はそんなによくないらしくて。シカは色には関係なく色盲だから。

時計は必需品

——あと腕時計とかそういう必需品はありませんか。

やっぱりその場所にいて時間を忘れないように、必ず時計は見ていないといけません。自分がどのくらい離れたところにいて、どこからなら帰れるというように、狩人は山では距離を考えて歩いているから、時計があることによって安心して歩けます。

——コンパスなどは持たないんですか。

それは持たないです。私たちは若い頃からコンパスや地図を持つ経験を積んでないから。コンパスを持ったり地図を持ったりしたら、逆に山を間違えてしまうんですよ。山も初めからそんなに歩けたわけでなく、周辺の山を見て高い山に上がり、山と山を結んで山を覚えたんですよ。一人で勉強しただけに苦労はしたけど、きちっと覚えてしまったから迷うこともほとんどないし、まず正確に歩けると思っています。

銃と弾

——それと、ハンターですから鉄砲も持って行きますね。

そうです。鉄砲の種類は、今はライフル銃ですが、最初は村田銃でした。この村田銃は二〇年くらい使っていましたが、弾が飛び出して当たればクマは倒れるからいいんだけど、人に見せるほどの格好のいいものでなかったですね。弾はクマ撃ちだったらせいぜい三〇発も持てばいいですね。

——村田銃のときも弾の数は三〇くらい持って行くんですか。

いいえ、村田銃は鉛の弾で、自分で買ってきた黒色火薬でいくらでも作れるんです。

リュックの中身

——あとは、山に入るときリュックを背負って行くんですね。

はい、そんなに大きいリュックは必要ないんだけど、私の場合は獲物を捕ったときに背負いこむから、かなりものが入る丈夫なものを持って歩きます。

——リュックの中には山を歩くときに欠かせないものが入っていると思いますが、姉崎さんのリュックには何が入っているんですか。ナイフのようなものは持って行きますか。

はい、ナイフもナタも持って行きます。ナタは常に獲物がいつ捕れるかわからないから、すごく切れる刃物を持っていくんです。ナイフの刃渡りは一二、一三センチ。アイヌ語でいうとマキリ。あのサバマキリ（漁師が使う）です。ナタは刃渡り二〇～二五センチくらいのものです。

——ちょっとした太い木も伐れますね。

木も伐れるし木の枝も削れるし、そういうものは切れるように刃をしっかり研いであるんですよ。クマ狩りに歩くんだから、クマを見つけた場合はそのナタで木を伐る場合があるからね。

――木を伐って何に使うんですか。

穴に籠もっているクマを見つけたときに、出口を止める杭を作る作業があるんですよ。クマが飛び出さないようにね。

――使う木が太そうですが、ナタで伐れるんですか。

刃渡り三〇センチくらいの腰ノコ（のこぎり）も持って行くから。これがあればかなり太い木でも伐れるんです。山に泊まるときは一晩中これで薪を切ったりもしますよ。

――道具類はナイフ、ナタ、ノコギリの三点とあと、ロープ類は持って行かないんですか。

クマ撃ちの人は必ず細引きを持って歩きます。市販されている細引きですからけっこう長いものですよ。それを一本だけでなく二本持つ場合もあります。

――細引きの利用法としてはどんなことがありますか。

利用法は、クマの穴を見つけてクマの穴を止める杭を作るときに、杭を立てたらそれをゆわえておくとか。それからクマを捕ってしまったときに穴から引き出すとか。やっぱり細引きは必ず持って歩かなきゃならないもんです。

――ロープみたいなそういう太いものじゃなくて大丈夫ですか。

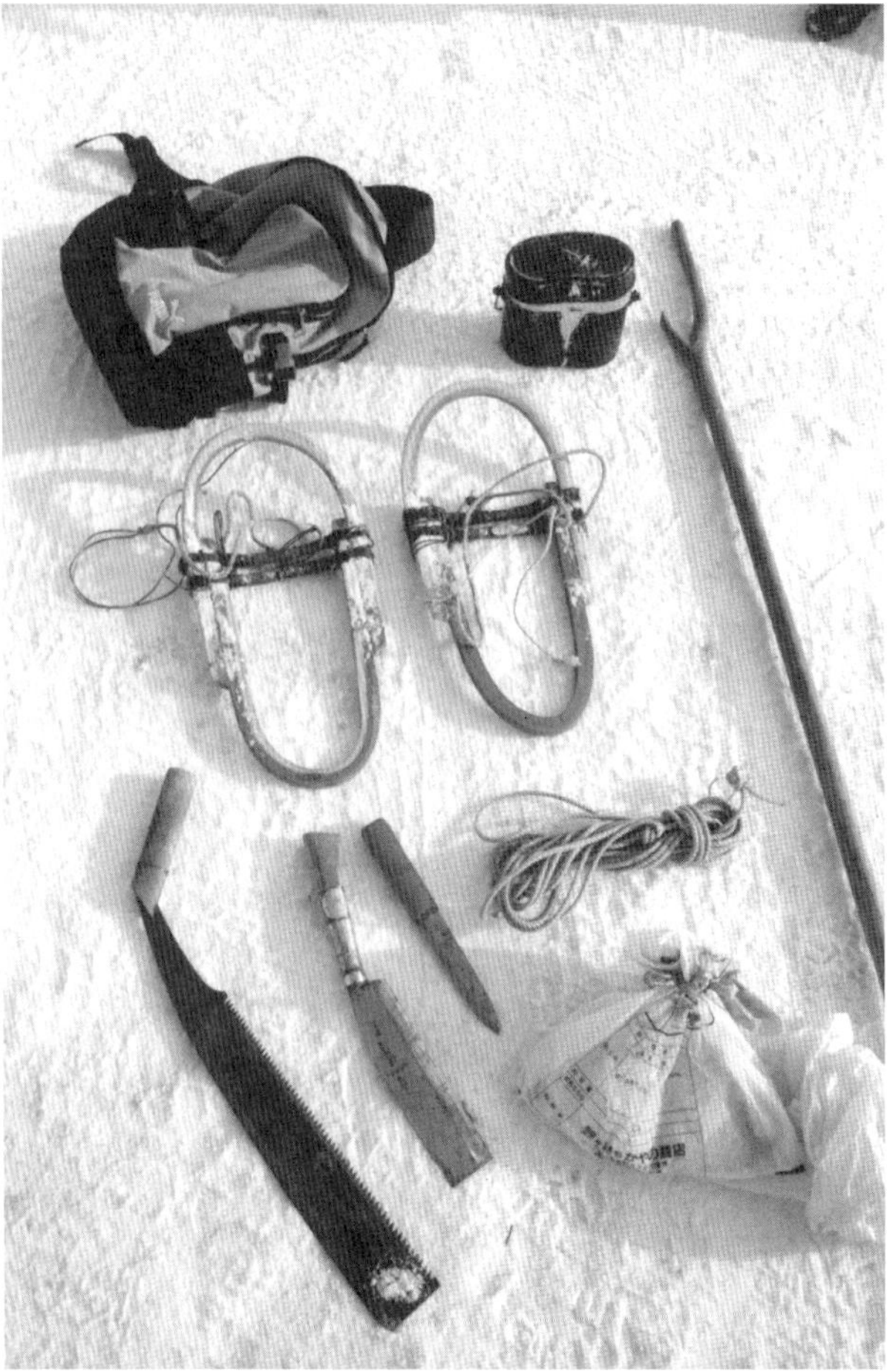

太いものはいらないです。

——他にビニール袋などは持って行きますか。

クマを捕りに行く場合、ビニールは常に持って歩いています。ビニールはテントの布代わりに風除けにして、そこへ寝泊まりできるように持って歩きます。

——どんなビニールですか。

農家で使っているような透明のビニールです。これをただ二畳分ぐらい持っていると普通に泊まれる小屋に立派に張れます。

——だいたいいつもそれを持って行くのですか。

ビニールは常に持っていて、クチャ（狩り小屋）に戻ったら泊まれるように張っておくんですね。

——あとリュックの中に入っているものはマッチですか。

そうですね。マッチはビニールで二重ぐらいに巻いたらゴムでとめて、水の中に落ちても濡らすことのないように完全に包装して持って行きます。マッチは使えないと命を落とす場合があるから、かなり神経を使って包装して持っています。ライターは駄目なんですよ。風が強いとか、寒さの厳しいところでは火がつかないから。寒すぎてもライターは駄目なんです。

——護身用の鈴とかクマの嫌がるヘビの代用品のようなものは持ちませんか。

そういうものは一切持たない。

——でも素人ならば持って行った方がいいということはありますよね。

素人の人なら鈴はあった方がいい。クマに対してだけじゃなくて、ほかの人との位置がわかるから。

常に持ち歩く杖

——エキムネクワ（山用の杖）は山に入ってから作るんではなく、家から持って行くんでしょう。

クワ（杖）は鉄砲を撃つときにも支えになるし、雪山を滑って歩くときにも使うからほんとに便利です。これは山に入ってから作るんではなく、必ず家から持って行きます。猟をやってるあいだは、ほとんど使うから家に持って帰って夏は雨にあたらないように乾燥させておいてね。まあ長く使う人は二〇年も三〇年も同じクワを使いますよ。

——雪山でどうやって使うんですか。

だいたいクワを使うと、スキーにのったくらい速いですよ。一番最初に山へ行ったとき、当時の年寄りたちが、ここから下りるって言うから、下りやすいところかと思ったら、山が被《かぶ》さって崖みたいに立ってるところなんですよ。

そのとき私は一番若いのに下りられなかったですよ。その人ら二人がサーッと滑って行く様子を見たんだけど、雪煙で人間が全然見えないんです。そして、転んでいったのか立っていったのかわからない。私は一人しばらくのあいだ、後ずさりして……。

——それでも後をついていったんですか。

はい、危ないからずるようにして少しずつ時間をかけてね。そのときに、やっぱりプロは違うなあと感心しましたね。

——今ではもうそういうこともできるようになったんですね。

そりゃあもう、私は一人前ですから。

——最初は谷底に落ちるみたいな感じだったんですね。

そうです。今では、みんなにクワを作ってやったり、使い方を教えてるんですよ。たとえばこういう山だと、クワをどっちにつくかとか。山の斜面を登るときだったら、クワを横につくと楽に登れるとかね。

——横について登るという意味がよくわかりません。

壁を斜めにつくようにして歩くととても登りやすいんですよ。

——登るときに邪魔ではないですか。

クワに力入れて、少しでもつっぱって登ればどんなところでも楽なんです。

——クワの長さはどのくらいですか。

だいたい昔は七尺くらい、二メートル以上。自分の背よりもかなり高いけど、それは

adidas

雪が深いときに使うから。それにクワの最終の使用目的はクマの穴を探すためなんです。それで長いんですよ。

いま家に持っているやつは、もう三〇年くらい使っているから減って短くなってますよ。クワの一番上は股（Yの字）になっていて、棒を雪や地面にさして休むときにリュックを掛けたりできるし、鉄砲を撃つときは銃身を置くとか、いろいろな使い方があるんです。

――クワを使ってあとどういうことをしますか。枝を取るとかそういうときに使うんですか。

いや、木の実の枝は採らないけど、すごい崖でもその棒を持っていると下りられるんです。

――じゃあ、それは山へ入るときは必需品ですね。

はい、もう必ず持って入る。ところがこれを持っているのは狩人でも蘭越《らんこし》のアイヌだけです。

――でも昔のアイヌの人たちはみんな持っていたんですよね。

はい。だけど今では蘭越が多いね。十勝《とかち》の方に行っても誰もクワなんか持っていないですよ。

――クワの木の種類は決まっていますか。

ナナカマド。粘り強くて、丈夫だから。他の弱い木は使ったら駄目。

山のトイレ

――山の中でする大小便のことですが、大の方はどんな所でするんですか。

川のそばでは絶対しないです。それに小便も川には絶対しません。それから美しい風景のところではしません。山の神がそういう美しい風景のところで休むのではないかと思うからです。精神的にもそういうところは避けます。ただ比較的見通しのよいところでします。用をたしながらも動物の動向を見ているんです。一度、用をたしながら向かいの斜面にクマがいるのを見つけて、早々に切り上げたことがあります。用をたしながらも警戒は怠らないんです。

――何か拭くものは用意するんですか。

はい。チリ紙は持って入ります。秋には葉を使うこともあります。春には大きな葉がないですから。古い時代にはみんな葉を使っていたんでしょうね。

生き残るための火

――山で遭難したときに、知っていれば生き残ることが出来るケースというのがあると思うんですが、いわばサバイバル術のことですが、姉崎さんはどんな技が大事だと思いますか。

大切なのは火です。山で火を焚くこともできない人は生きる力がないと言われてもしようがないですね。

たとえばヤチハンノキというのは火が点かないんだけども、ホルケウケネ（ヤマハンノキ）には火が点きます。私は山を歩くときにいろんな種類の木を焚いてみることがあるんです。そしたらハンノキだけど枝がスッと伸びるんでなく、モサモサと先の太いヤマハンノキはよく燃えるんですよ。私たちが狩りをしに山に行って山泊まりするときには一番先に火を焚く技を身に付けます。それくらい火は大切なんです。

あと、火に関して言えば、川に落ちてもマッチを濡らさないようにビニールでしっかりくるんでおかないと駄目です。火さえ焚ければ着の身着のままでも生きられるからね。ノコギリを持っていれば、山の中だったら針葉樹の立ち枯れを倒して火を焚けばいいんです。

これは私のポン・アチャポというおじさんのやったことなんだけど、川に落ちたとき、そのときは今のようにビニールがないからマッチが濡れてしまった。そこで持っていたのが村田銃だった。そこでポン・アチャポは考えた。銃の弾を抜いて火薬だけにして、枯れたマツの木めがけて撃ったんですよ。すると、もぐさに火がついたように少し火が残って、それをフーフーって吹いて火をおこす種にしたんだそうです。

だから、どういうときでも何とか工夫をして、枯れた木を加えたりして火を焚いたらいいんです。そしたらあとは、枯れた木をどんどん寄せて火を焚いた上に、下の火が煙もでないほど燃えつくしてオキだけになる頃に、今度はマツの木をかぶせました。
マッチを濡らしたポン・アチャポはその上に自分が寝たって言ってました。そうすると温かいし、ある程度着物を乾かせるから、そうやって生き残ったと言っていました。これなんかは山に生きる人の知恵だなあと思うんですよ。

――川に落ちたときに、火もなかったら助かりませんか。

日高とか十勝とかああいうしばれ（寒さ）の強いところに冬に行って、そこで川に落ちて長靴の中に水を入れたとすると、みんな靴を脱いで靴下を絞って履くでしょう。それは駄目なんです。間違ってもそんなことをしたら駄目なんです。すぐに凍傷になってしまうから。

そういうしばれの強いところでは、長靴の中の水を抜かないでドボドボッと長靴の中で水がたまっていても、そのまま歩くと、水が靴の中で温かくなってくるんですよ。足が重い軽いの理屈でなく生きようという信念でやるんです。

水分をガチッと絞り取ってしまうと中ですぐに凍るんですよ。そして凍傷になって歩けなくなるんです。以前、実際に川に落ちた人がいて、私が水を抜かないようにと言って、その人はなんとか凍傷にもならずに助かったものだから、おかげさまで助かったって感謝されたことがありました。

五分で作る狩り小屋

――姉崎さんが山に泊まるとき、ベースキャンプとなる本格的なクチャ（狩り小屋）とは別に、狩りをするために一、二日泊まる仮小屋を作るそうですね。これはどうやって作るんですか。

仮小屋は本当に簡単に作ります。もう時によっては五分もあれば簡単にできますよ。経験のない人なら、こんなところで寝て、生きて帰れるのかって言うくらい簡素なものですけどね。

――一番基本に使うものは何ですか。

トドマツですね。そこいらにある材として使えないようなトドマツの木を一本倒すんですよ。そして枝先の葉の混んだところの下の雪を踏んで、そこに寝るようにします。ほんとにその木一本が倒れれば寝られるから、五分もあれば簡単に作ることができます。

――作り方をもう少し詳しく聞かせてください。

まず木を倒すでしょう。地面の窪みのところを目がけて倒してやるんです。下に空間ができます。下は雪だから上を踏むだけでマツ葉を敷けば簡単に寝ることができるんですよ。上を見れば、幹が屋根の棟《むね》になっています。枝先を垂れるようにして、だいたい屋根形ができるんですよ。枝はついたままでいいんです。

でもマツの葉の下では火を焚いて寝るから、マツの葉はすごく乾燥して火薬のように火が点きやすいので危ないんですよ。火が一度点いたらバリバリバリとはじけるような音で燃えるんです。経験のある人は「ああ、火が点いた」って簡単に消せるんだけども、素人は一度火が点いたら自分がどこにいるのか見極めもつかないで、荷物も何もかも置いて裸足ですっ飛んで逃げて行くんです。鉄砲も何もかも置いて逃げる人がいるんですよ。でもバリバリバリって燃えても、実は手でちょっと払うようにするだけで簡単に消せるんですよ。

――それにしても仮小屋は簡単にできてしまうんですね。

だから山を歩いている人らは、ほんとにこんなところに簡単に寝てるなあって思うくらいのもので、そんなに作るのに骨を折らないですね。

――クチャをベースキャンプのように作っておいてそこから出向いて行くっていう形の猟をするんですね。それで行った先で仮小屋をさっと作って寝る。

そうです。まずクチャを作って、食料やちょっとしたものを持つくらいで猟に入るから他のものは全部置いて行くんですよ。

――そうするとその仮小屋で寝るときはかなり軽装ですね。

雪山でもそんなに寒いわけではないんですよ。でも夜中は寒いから火は絶やさないですよ。

――仮小屋でも炉は作るんですね。

仮小屋でも山で一晩泊まるときは作ります。本格的なクチャのものに比べればそんなまともなものは作らないけどね。

――木を倒しただけの仮小屋の炉はどうやって作るんですか。

雪を踏んでちょっと固めただけで火を焚けるだけのスペースを作ったら、それでおしまいです。火床は何も作りません。一晩で雪が解けて穴が開きそうなときは、そこへ寄せる木を選びますね。一番いい木はヤチハンノキ。これは水分が多い木なので絶対に火が点かないですから。焚いても火の点かない木を台にして火を焚くようにすると二晩、三晩くらいはもちます。

――ヤチハンノキがない場合は、雪の上で火を焚くんですか。

ヤチハンノキはほとんどどこにでもあるんですよ。

火で背をあぶる

――山の中での暖の取り方はどうするんですか。

クチャ（狩り小屋）でも仮小屋でも、昔の人は裸になって背中あぶりしたんですよ。背中をあぶるっていうのは体が一番温まるんです。私らは寝るとき厚着はできるだけしないですよ。山に行ったときは着てるものを脱いで、薄いシャツ一枚だけ着て直接火の温度と体をつないでおくんです。こうすると火が衰えてきたらすぐ体温で感じるから、そうやると風邪をひきません。

たくさん着たら駄目です。いったん着るものを上から温めると、着てるものが温まるだけなんです。そしたらふーっと楽な気持ちになって寝込んでしまうんです。そうすると、寒くなって目が覚めるときには着てるものが全部冷え込んでしまっていて、寒いのを感じ取ったときにはもう火が消えてます。これでは風邪をひきます。だから薄着で寝たほうがいいって言うんです。

——薄着でいると火が衰えたらすぐわかるんですね。火が衰えたらまた薪をくべるんですか。

そう、薄着で火の様子がわかるようにするんです。薪も長く切らないんですよ。よく山へ行って慣れない人に薪を切らすと長く切るんですよ。ところが私らが切る木は短いんですよ。

——どのくらいですか。

三〇センチくらいです。なぜそんな短く切るかというと、火が燃えてるところへ短いやつを立てかけておくでしょう。そうすると生木だからつゆを噴きながら、ジュウジュウと火が燃えていくんです。それがなくなる頃には、次の短い木の頭が次にあるわけ。そうすると、次の薪の頭はすぐ燃えやすくなっていますから、木は短く切る方がいい。それに薪の量がいらないしね。

——それはどうしてですか。

長い木は無駄でしょう。同じ燃やしても全部の火を吸収できないし、火だけ強くなってしまうんですよ。

——背中をあぶった方がいいということですが、不思議ですね、普通はお腹の方を冷やしちゃよくないと思うんですけど、そうじゃないんですか。

アイヌ語でセトゥル・セセッカ（背中あぶり）と言って、背中をあぶると、体全体があったまるんです。これは、山ばかりでなく家にいても体を温める方法として今でもアイヌの人たちはしています。外から家に帰ってきたら、まず手をさっとあぶって、ストーブにくるっと背を向けて背中をあぶる習慣があるんです。これは本当に体が温まりますよ。山では、背中を火に向けて、お腹には着ないで残ったものをあてたりします。山では熟睡っていうよりも、うたた寝のような形になるけど、それでもその方が疲れないんですよ。

——火の焚き方はそんなにバンバン燃やさないんですね。

燃やさないです。木をそう重ねない。そうするとちょうどいいくらいにポカポカって、そのわずかな熱を逃さないで吸収して寝られるように。

——火を長時間絶やさない焚き方があるんですね。薪はどういう組み方をするんですか。

それは薪と薪の木口を重ねるんですよ。切った木口を幅広く重ねる。木がちょろちょろと燃えるんです。重ねる部分を大きくすると、火の勢いが強くなってしまうから。

――少し斜めにして、先端は支え合うように。交わるようにするんですか。

そうです。木が三本もあれば、お互いに支えあうように、浮くようにするんです。

――では火が燃え進んで支える力がなくなったときはどうするんですか。

いや、燃えていったらまたついで、火は消さないように同じ火力で一晩中焚くんです。薪が短いとしょっちゅう足すけど、次の予備の薪が近くに置いてあるでしょ。だからそれはもう温まっているから火がつきやすいんです。

――すると火の管理はしょっちゅうしてなくちゃ駄目ですね。

火の管理は三〇分おきくらいにしなくちゃならないけど、けっこう寝る時間はありますよ。

火の焚き方を見てもこの人はだいぶプロだな、とかこの人は駄目だなとかわかります。大体一回に三〇センチくらいの薪が三本もあって火がポカポカって燃えてればいい。ばっと燃えたら駄目なんです。

――そのクチャ（狩り小屋）にしても仮小屋にしても、全体が温まる必要は全然なくて、背中の部分だけ温めればいいということですね。

はい、雪山でさえもけっこう温かいんですよ。下にはマツ葉を敷いてね。マツの枝の柔らかいところを丁寧に折って重ねていくんですよ。その上に寝るんです。ただ、枝の太いところが体の下に当たると痛いですよ。

――そうならないように敷いていくんですね。

はい。もし毛布が一枚でもあるときは敷いたらいい。ちょっとくらい敷いても半分は自分の体にかけていれば、それでけっこう寝られるんです。

――冬山に今でいう寝袋にあたるようなものは持って行かないんですか。

そういうものはないです。防寒用の毛布以外は、特別に持って行きません。それで普通、着ているものだけでも北海道の三月、四月くらいの山なら泊まって歩けるんですよ。薄いジャンパー一枚でね。とにかくうまく火を焚ければ泊まりながら歩けるんですよ。

――冬山の中だから零下何十度になることもあるわけですよね。

やっぱり明け方になるとね、冷え込んでかなりしばれるときがありますね。それでも火に当たってるところは温かいですよ。

――クチャの火を焚くところの下はどうなってるんですか。

火を焚く床はね、四月ごろ山へ入ると雪が何メートルもあるから土を出すことできないんです。だから炉を作るには木を長く切って、三本なり四本なりを並べといて雪の中へ埋めておくんですよ。その上で火を焚いたら、たとえば灰でも何でもその目詰めにしてね。

これはうまくやらないとダメなんです。下手な人が焚くと丸太を積んだ隙間から熱が伝わって下の雪が解けて空洞になって台木が燃えてしまうんですよ。台木が燃えたり、逆さに落ちるからそういうふうにならないように段取りするんです。

——丸太どうし重ねないんですか。

そんなぴっちり重ねないで。隙間が少しくらいあいていても、灰を隙間に埋めておくんです。そこが一番難しいところです。

——そこが火床《ひどこ》なんですか。

はい。だけど中が空洞になるような焚き方をして、一回消えたら二度と火は焚けません。大体直径一〇センチとか一五センチとかのヤチハンノキだけを台木にするんです。長さは四尺（約一メートル二〇センチ）くらい。私はそういうことをめったにしないけど、河原のあるようなところでは砂を取ってきておいて木の上に敷くやり方もあります。でも、ちゃんとヤチハンノキを台木に使えば燃えませんから。ところが素人の人は樺の木とかイタヤの木とか、焚くための木を台木に使う。これだといっぺんに燃えてしまうんです。

——火を最初におこすときは、やっぱりマッチを使うわけですね。どういうふうに薪に火を点けるんですか。

火を点けるときは白樺なんかの細い生枝を折って、それと今度は針葉樹の枯れた枝を少し。紙がなくてもほとんどマッチ一本で火が点くんですよ。

——生枝でいいんですか。

冬は、白樺とかイタヤとかの生の枝先には脂がのっていて火が点きやすいんです。シユーッと露を噴きながら火が点くんですよ。それと針葉樹の枯れた枝を合わせて。白樺でも枝を一つまみくらい寄せたら簡単に火が点くんですよ。

山泊まりのコツというのは、火を焚くことですからね。そしてあと、雨降りやなんかのときもあるから、そういうときは乾いた硬い木の硬いところを削って、それで火を点けるんです。

――削り出して濡れてない面を出すわけですね。

はい、薄くして板状態にすると火が点くんですよ。

――もしマッチがなくても火を点けられますか。

マッチはたいてい持ってるけど……。マッチがなくて火を点けるっていうのは、私はソ連で捕虜のときに硬い木をスコップでこすって火を起こしました。コケのようなものでも乾燥したものがあれば、もぐさに火をつけるみたいにして火を起こしました。

――その方法はとくに誰から習ったというわけではないんですね。

それは人から習わないでも、私は常にそういうことは考えているんです。何もないからっていうのではなく、工夫するんです。あるものでね。

泊まってはいけない場所

——山でこういう地形のところは泊まってはいけないという場所を教えてください。

とにかく泊まるときに辺りの木を見ること、そして地形を見るんです。まず泊まってはいけないのは、一つの山が出っ張ってきて、そこで落ちてなくなるところがあるでしょう。山落ちと呼んでいるんですが、そういうところはすべての動物が歩きます。やっぱりケモノ道になるので、こういうところは避けて泊まらないようにします。

——逆に獲物が通るからと、待ち伏せするようなことはしないんですか。

それはないね。悪い神様のいたずらの方が早いから。待ち伏せするより先にこちらがやられてしまいます。樽前山《たるまえさん》の裾野にある山には、アイヌの年寄りの人たちは泊まるな、泊まるなって繰り返すんですよ。

——そこも山落ちになってるんですか。

そう、山落ちでケナシウナルペ（魔性の鳥）がそこいらにいるんです。丸くてちっちゃい鳥なんだけど、大きな声を出して、ワーワー騒いでうるさいの。

あと常識だけど木を見て、木が折れるようなところには絶対に泊まっては駄目です。倒木のあるところは、台風でなくても風がちょっと吹いたら倒れることがあるから、そういうところには泊まりません。

——あと雪崩とかいろんな危険があるでしょう。

雪崩というやつは、あれは急に来るんじゃないんだからね。沢がうんと深くて、上に雪庇《せっぴ》の乗るようなところ、それが雪崩になるんです。ものすごい予想外の雪崩もあります。傾斜のゆるい山でも、上に雪庇があったらそれが落ちてくるっていうことは何十年かに一度あるんです。直径二〇～三〇センチに成長した木が、弓矢のように曲げられてそういう雪崩で折れたのを見たことあります。だから何十年かに一回ずつでもそういう災難があるから、山っていうやつはほんとに注意して歩かないと駄目です。

——あと泊まってはいけないところとしてその他に。

山のツネ（尾根）の内側ですね。沢と沢のあいだです。こっちからきた尾根と別の方から来た尾根のオチというのはカムイ（クマ）が渡って歩くから、そういうところにできるだけ小屋は作らない。

——あと沢と沢とのあいだは雪の下にたくさん沢水があるからということもありますか。

沢の下は猟ができないし、水が出たら一気にかぶるので、沢の深いところには一切作るもんじゃないんです。

——「ツネ」っていうのは尾根ですね。

そう、尾根ですね。尾根のオチ。下がってきて沢の中へ沈むようなところです。

——そこはクマの通り道になるんですね。

なります。そしてクマは好きで歩くんではなく、次の山までツネのオチがつながっているから楽に登れるところを選んで歩くんです。

——他には寝ちゃいけない場所はありますか。

　あと、そんなにないけど、木のすぐ下はあんまりよくない。やっぱりいつ倒れるかわからないから。がちっとしたいい木でも、できるだけその下は選ばないですよ。それに木の下では、木そのものに圧迫されるでしょう。自由を奪われるような感じがします。ハンターっていうやつは事故にあわないようにものすごい神経を使うもんですからね。

天候を読む

——今は天気予報が衛星を使ったりしてだいぶ細かいものが出ているけれど、昔山に入るときはラジオの天気予報で先まで気をつけて、それから入っていったんですか。

　はい。やっぱり天気予報と天気図をよく見るんですよ。そうすると自分で天気を当てられるようになるんです。天気図は一生懸命見なきゃ駄目ですよ。

——急激な変化というのは山ではよく起こるわけですよね。それが読めないとものすごく危険ですよね。

　そうなるなあと思うときはあんまり長距離は行かないですよ。無謀なことはしません。私は一人で歩くから、天気図はずいぶん真剣に見ました。

——山の天気は変わりやすいといいますね。山鳴りが聞こえると、五分もしないで嵐が来るともいいますが。

この辺の低い山ではほとんどないんですが、定山渓の奥の方へ入っていって、サウス岳、菅沼《すがぬま》岳、こういう山が並んでいると、山でゴーって音がするんです。これが風の音なんです。

——風が出している音なんですか。

はい。そうすると、いくら天気がよくてもそういう音が聞こえたら、五分もしないうちに山が一気に荒れてしまう。もう山の上の嵐っていうやつは、雲の中へ入ったのと同じですね。雲になって見えるやつは全部霧雨なんです。霧雨の渦が重なっているから体はけっこう濡れますね。

——そういう中へ入ったら、道に迷っちゃうわけですよね。

はい、普通の人は迷います。

視界ゼロの山を歩く

——そういうときはどうしたらいいんですか。視界はゼロでしょう。

視界はゼロです。私はこうやると迷わないとか、こうやるから迷わないとは言えないけど、山をきちっと身につけて覚えていると、ほとんど方角は迷わないですね。

——そういうときに普通の人は動いちゃいけないわけですか。

そうですね。

――でも、姉崎さんはそういうときでも動くんですね。一体何を見て動くんですか。

山へ入るとき、山全体を呑み込んで入るんですよ。それで、どこの山には何が多いとか、木の形もね。だから夜でも歩けるんです。木の曲がり方があるでしょう。高いところだったら。その曲がり方で風当たりを見たりします。

――そうすると何風が吹いているから、こっちの方角とか判断するんですか。

そう。だから常に一人で昔から歩いただけに、方角は一切間違いません。

――視界がほとんどきかないとき、一メートル先も見えないことがありますか。

あります。定山渓《じょうざんけい》に行ったときに、暗くなってしまって苦労して沢の中を通って帰ってきたことがあるんですよ。でも、沢の深いところだったら、見晴らしのないときは迷ってしまうので、素人は下りない方がいいんです。

――姉崎さんはそういう深い沢でも入っていくわけですか。

いや、普段は沢から離れて歩きます。沢っていうやつは方向の目印になるんですよ。沢の形を見ると、山のできがわかるからね。

――山の形が想像つくわけですね。

つきます。できるだけ沢が見えるようなところを歩いた方がいいんです。

――うっすらと沢の形が見えれば山の全貌がつかめてくるわけですね。そういう吹雪に巻かれたり、霧に巻かれても、道に迷ったことがないんですか。

私はないです。道に迷うのはアイヌ（人間）だけではないんですよ。山の獣も迷います。キツネでもね。

――どうしてわかるんですか。キツネが道に迷ったっていうことが。

足跡です。彼らは道に迷ってしまうと、無理しないですよ。どこでもひっこみに入ったり木の根株の中に入って晴れるのを待っているからわかるんですよ。

――私も山の中で立ち往生した経験あるから、真っ暗だととにかく怖いんですよ。もう一歩も進めない。しかもちょっと踏み出したところが崩れたりするとまわり中がそう思えてきて、怖くて怖くて。それで一晩その場所で泊まったことがあります。

私は空を見て歩くこともします。木のかすかな淡い様子だけを見て歩いてるんです。

――曇ってるときでもそれは多少見えるんですか。

はい。そして空を見上げれば、けっこう木の濃淡がうっすらと見えて歩けるんです。

――普通の人の目には真っ暗でしょう。淡いも何もわからないでしょうけどね。

そうですね。

犬の声を聞き分ける

――ムジナ猟では猟犬が活躍するようですが、他に犬が活躍する猟はありますか。

どんな猟でも、人の行きにくいような場所にさしかかったときに、犬に獲物を見に行ってもらうことがあります。犬の方は常に離れたところにいる主人に注意していますから、その主人が犬に向かって手で合図するだけで指示通りのところに行くんです。

——ちゃんと犬は主人を見ているんですね。

はい、主人の合図の通りに行って匂いを嗅いで、獲物がいないと知らん顔しているし、獲物がいるんだったら吠えるんですよ。

——どういう吠え方をするんですか。

犬がワンって言うでしょう。そのワンって吠えただけで、主人は犬が何を見つけたかわかるんですよ。たとえばウサギなんかは足が速いから、吠えて遠のいていくのも速いんです。吠える力も軽いですね。ワンワンと。ところがクマを見たときは犬も本当に真剣だからウーッ、ワン、と腹の底から声を出すんですよ。

——ウサギのときのように何回も吠えないわけですか。

はい、だから吠え方のちがいは自分の愛犬であればわかります。たとえばエゾライチョウのような、木の枝に止まっている鳥への吠え方もずいぶん違います。逃げていかないものだから焦らない吠え方なんですよ。そしてウサギやキツネのように逃げていくものと同じような軽い声で吠えるんです。

——犬は吠えながらどこまでも獲物を追っていくんですか。

私の場合は犬の教育をずいぶんしているから、犬が自分で獲れない獲物を長く追うことは絶対にさせないんです。ハンターの多くはクマを見つけると犬を結わえて引っ張って歩く人が多いんです。そうでないと犬がどこまでもクマを追いかけていってしまうからね。時には、やっと犬がクマに追いついたときには、山を三つも四つも越えたところだっていうこともあるんです。

犬のしつけ方

——姉崎さんの犬は、ちゃんと主人との距離を知っているわけですね。それはどうやって教えるんですか。

私は兵隊のときは軍犬兵でしたから、しつけ方をよく知っています。基本は、犬が主人との距離を取り過ぎたらそのときに叱るんです。それを何回も繰り返しているうちに犬のほうもしなくなります。

——軍用犬はおもにどんな種類の犬でしたか。

シェパードですね。その軍用犬の教育をやっていたことが自分の犬を教えるのに役立ちました。

——そこまで犬を使えるというのは他の猟師とはまた違うわけですね。

はい、犬が成獣になってから教育したのでは遅いんですよ。だから乳離れくらいの犬を、まず一番先に水から教えます。

――どういうふうにですか。

川に入れて水に慣れさせるんです。水を怖がらないように泳がせたりもします、犬は水が嫌いですから水から上がったらかわいがってやって、また水に入れてやるんですよ。これを繰り返すと、冬でも山に行って少々深い谷川でも泳いで渡るんです。

あと、すごく高くてまだ子犬が登れないようなところには、犬を懐に入れたりリュックに入れたりして連れていくんです。そして目的のところまで登って行ったら初めて放して、崖っぷちで犬を落とします。犬が後ずさりして突っ張って全然行かないときは転がすんですよ。そうすると、犬は崖に落ちても体で大丈夫だっていうことを覚えますから、今度は自分から高いところへでも行くようになります。

――登るときに懐に入れていくのはどうしてですか。犬の方が楽してしまうんじゃないですか。

楽してしまうけど、犬の足がまだ未熟で登れないからね。そのときは面倒みてやった方がいいんです。あんまり無理やり登れ登れとやっても嫌がるだけですからね。

――犬との信頼関係を築けるようなほめ方はあるんでしょうか。

たとえばタヌキを捕るとき、タヌキは笹の中にいるから、それを犬が見つけて追っていくんです。それでタヌキを追って三時間も待たされていると、犬は相当な距離を追っていってるんですよ。

犬と信頼関係を持つのには、「どこ行ったあのバカ犬」って見捨てたら駄目なんです。

犬が見えなくなったら主人は仕方ないと、半日でもいいから待っているんです。そうすると犬が戻ってきて、主人が待っていたときにはうれしそうな顔をするんですよ。犬の顔が笑って見えるんです。そして笑ったような顔してハッハッハって。主人のまわりをクルクルまわって、捕ってきたら袖をつかまえて、行こう行こうって。捕った方向へひっぱる。

そういうときに褒めるんです。よしよし捕ってきたなって。そして頭をなでてやると、ハッハッハってやって、また行こう行こうって袖をひっぱる。そして後についていって、それでもどんどん行くようなら間違いなく獲物を獲ってるんです。自分の後を主人がついてきているか犬も確認しながら、安心した顔をするんです。

――失敗して捕ってこないときはどんな感じですか。

泣いたような顔をしています。しょんぼりして全然元気がないですよ。そういうときは、仕方がないからよしよしってなぐさめるように言ってやるんです。

――犬が犬を教えるようなことはありますか。

川に行くと水が嫌いでなかなか渡らない犬に対して、私の飼っていたリュウという犬は、ぽんぽんと浅いところを渡って見せてやって、「大丈夫だ、来い」って鳴くんです。それでも渡れない犬がまだキャンキャン鳴いていると、またぽんぽん渡って戻っていって、大丈夫だってなだめて教えているんですよ。

──そうやって段々覚えていくんですか。

はい。そうやって、できる犬が他の犬に山を仕込むことはあります。たとえばクマの穴のあるところでも、地形を見ながらずっと行って、木の根辺りに鼻を寄せて匂いを嗅いでいく方法も、犬が犬を教えるんですよ。

──犬の叱り方はどうするのですか。

犬が言うこと聞かないときにやたらに怒っては駄目なんですよ。やっぱり犬はほめてやると喜ぶから、ほめて覚えさせるんです。

愛犬リュウとの信頼関係

──山に犬を連れて行くことは、命の保障を一つしてることになりますよね。

はい。やっぱり下手な人間がついて歩くよりも犬の方が頼りがいがあります。

──友達の猟師を一人連れて行くよりもっと頼りになるんですか。

私の持っていたリュウという犬は優秀だったから頼りになりました。たとえば二〇キロや三〇キロ離れた山の中に置いていっても、私が帰ったと思ったら迷わないで犬も帰ってくるんですよ。それくらい気持ちが通じるんです。

ですから、もし私が雪崩にあったら、人間の力で掘り出せないくらい場所がわからなくなっても、犬の力なら場所がわかるし掘り出してくれるだろうと思っていました。それだけ教育もしたし信頼もしていました。

そんなに信頼関係があったもんですから、私が昭和四六年に米軍基地の閉鎖にともなって一時、神奈川県の川崎に家族ぐるみで引っ越したときは、その犬との別れに涙が出ましたよ。

――それでまた戻ってきてからリュウと猟を再開したんですか。

千歳に戻って、猟の季節ではないですけどキノコを採るときに運動も兼ねて犬と山に入ったら、犬がタヌキを見つけてね。私はそのときにタヌキが必要でもないから帰ってしまった。今度、犬の方は私が待っていてくれるだろうと思ってその場所に戻ってきたら、私はもう車ごといないでしょ。そしたら犬がむくれてしまって。ふて腐れてそこで寝ていたの。

――どうしてそこで寝ているってわかったんですか。

次の日に家内や子どもと一緒に犬を迎えに行ったんですよ。そしたら案の定、その置いていった場所に寝ているんですよ。私が行っても頭も上げないんですよ。そして少し頭を上げたら白目でぎょろりと私を睨みつけたっきり知らん顔して。だからそういう犬の心がわかるだけに山へ行くときは、いつも犬と一緒ですね。

でも裏山にいるクマを獲るときは、犬が邪魔になるときもあるんですよ。犬が行くとクマを追ってしまうから、今日は駄目だよって言って置いていったんですよ。そうする

愛犬リュウと。

と犬は言うことは聞くけど置かれるとすごく腹が立つんですね。そのときはクマに出くわさないで家に戻ってきたら、犬が笑って見えるんですよ。はて、なにをやったんだろうと思って、そして「リュウ、どうした、どうした」って言ったら今度は小屋に案内するから後について行ったら、そのときに私の家で飼っていたウサギ二匹、ニワトリ五、六羽を全部殺して一カ所に山にしてあるんですよ。そして私はこれだけ猟をしたっていうような顔をして案内してくれるの。

もうやけっぱちで犬はやったんですね。よそのニワトリやウサギは絶対に襲わないんです。それで、「俺を置いて行ったらそういう目にあうんだ」っていうような、そういう仕草もしていました。こうした表現を見ても、犬というのは人間以上に感情の激しい動物だと思います。

――気持ちが全部わかるんですね。

だからそこまでいくと、かわいいですね。

優秀な犬の見分け方

――アイヌ犬ではどういう犬がいいんですか。

たとえば子犬が来たら、しっぽを捕まえてぶら下げると足をピンと伸ばす犬がいます。足をピンと後ろへ張る犬は足が速い。耳の間隔が広い犬は度胸のある犬です。

――同じアイヌ犬でも猟犬として優秀なものとそうでないものはいるんですね。

そうです。同じアイヌ犬であっても猟犬に使う場合は、毛の色で選ぶことがあります。黒い犬はできるだけ猟犬に使うなっていうんです。それには意味があるんです。昔、黒い犬も他の犬も使って猟をしたときに、意地の悪いきかないクマと出くわして、昔だから、撃った毒矢の毒の回らないうちに、黒色の犬が逆にクマに加勢して主人を襲ったという話があるんです。

――それはクマと犬が同じ色だったからですか。

はい。それが黒い犬を飼うなよっていう言い伝えの始まりですね。その人はクマに襲われたんだけど助かって言い伝えが残ったんですね。その人は助かって帰って体の傷を見たら、クマにコイキ（いためつけられる）された跡よりもセタ（犬）にコイキされた歯跡の方がひどかったということです。それだから黒い犬は猟犬としてあんまり使うなよってね。

――あとは犬の毛なみは猟犬の性格と関係がありますか。

私たちが好むのは赤（茶のこと）とか白。それから私が飼っていた最高の犬、リュウは黒ごまでした。

名犬アクのこと

——今、アイヌ犬は茶が多いですよね。それに蘭越《らんこし》は優秀なアイヌ犬で有名なところですよね。

かつてはよかったんです。これは赤毛というか茶色というか。「アクよ吠えろ」っていうNHKの番組に出た名犬の系統が平均して残っていたんですよ。私のリュウという犬はその系統です。この犬は地元ではなくカマカへ行って、さらに穂別《ほべつ》へ渡っていったのを買い戻してきたんですよ。

——もともとこっちの生まれだけど穂別に行っていたわけですね。

はい。アクというのは天然記念物にも指定されていた犬だから、みんながその血統が欲しくて大事に持っていたんです。蘭越くらい皆が犬を大事にしていると犬の性質もよくなるんですよね。どこの家でも犬を飼っているだけではなくて、いい血統の犬を寄せて養っている中で、さらに良い子犬を選んで養うからね。

ところがだんだん犬を商品化するようになってきたら、五本爪のところに、狼爪の残っている六本爪の日高の犬が混じり合うようになってしまいました。まあ、もともとアイヌ犬というのはホロケウセタ（狼犬）なんですけどね。親のホロケウ（エゾオオカミ）のいないうちに子を取ってきて養ったものがアイヌ犬ですよ。

——つまり元はエゾオオカミだと。

元はホロケウなんです。そういう言い伝えがあるんですよ。そして私たちの時代にはもうホロケウというのは見たこともなかったけど、やっぱり昔はいたんだなと思うんですよ。アイヌの人たちがホロケウを持ってきて養っていたんだって。それがアイヌ犬だって言うんだから。

——もともといた犬とホロケウをもう一回掛け合わせたのかなあと思ったりしたんだけど、そういう話ではないんですか。

そうでないですね。山から取ってきて養ったんですよ。ウエペケレ（昔話）では狼の子を盗んできたという話だから。

——今のシベリアンハスキーというのは犬と狼を掛け合わせたものなんですよ。気の強い犬を作るために雌犬を外に縛っておくと雄の狼がかかるんです。そしてその子を取るんですよね。それでホロケウセタというのも、そうやって混じりで作ったものじゃないんですかね。

ウエペケレでは、オオカミの子を取ってきて養ったというふうになっているんですよ。

野生動物を追い続けてきた姉崎さんは、山に入るときに携帯する食料や道具類の扱い方、さらに猟に欠かせない犬のしつけ方まで様々な知恵を身につけている。一方、追われる側のクマもまた、追ってくる人間の裏をかこうと予想を超えた知恵を発揮する。

驚くべきクマの知恵

——では、話はクマに移りますが、クマが知恵のある動物だなと思うのはどんなときですか。

あるとき風不死岳《ふっぷしだけ》の斜面にある穴から出たクマを大勢の人が追いに行ったんです。行ってみるとそこいらじゅう足跡だらけで、どの足跡を追っていけばいいかわからないと言うんです。私も後からそこに行ってみたんですが、クマは一筋の足跡ならば必ずそこを人間が追ってくることを読んでいるんです。そこでわざとたくさんの足跡をつけて人間の目をくらませようとするんですよ。

——まるでアラビアンナイトに出てくる話のようですね。ある家についていた印を他の家にもいっぱいつけて、どの家かわからなくする手法とよく似ていますね。

クマはそのくらいの知恵を持っているんです。人間でも同じですよ。脱走して逃げていった人間は自分の足跡がわからないように考えて逃げるでしょう。クマも同じです。クマのそういう気持ちがわからないとクマは獲れません。

たとえば経験の浅いハンターがクマの穴を見つけたときに、近くの木を刃物で削って印をつけると、クマはそんな穴には入らないんですよ。クマは刃物で削った跡と、自然に木が折れたり傷ついたりしたのは見分けがつくんです。だから私は、クマの穴を見つけたら、木の枝を折っておくのはいいけれど、ナタやノコギリで印をつけるのはダメだよと言うんです。

まるで手品のような「止め足」

――クマの知恵といえば、「止め足」も知恵の一つですよね。猟師が足跡をたどって追っていくと、ある所から突然足跡が消えてなくなる。それは止め足を使ったからなんですね。

それはクマが人間に追われたときの時間稼ぎの方法だね。追われるとクマは、同じ自分の足跡を戻って猟師の裏をかこうとするんです。それから、人間がとても来られそうもない危険なところをわざと通って逃げていきます。

――クマは止め足を作るとき、自分がつけた足跡の上を全くおなじように踏んで戻ることができるんですか。

はい。きちんと同じ足跡の上を踏むんです。同じところを踏んで戻ります。ですからよく見ないとそこから戻っていることは分かりません。それから、あるとき一つの足跡を追っていったら、途中から二つに足跡が分かれたんです。つまり二頭だったんですが、前をいくクマの足跡を全く同じように後ろのクマも歩いていたんです。

それからチスラプ（三歳仔くらいの子グマ）といって、親離れする子グマがいたとき、二頭だったんですが、親の後ろに一頭分の足跡しかついていないんです。よく見ると爪の跡まで同じだったんです。昔の人は、そういう歩き方をするようになると親離れが近いんだと言いました。私は一度しか見ていないけれど、昔の人は経験でわかっていたんですね。

——それだけ足跡を残さないようにしているということですかね。

そうですね。水飲み場に出たりするときも、絶対に足跡をつけないようにするからね。素人が見てもわからないですよ。経験のある人は長い時間をかけて足跡を見てきたからわかるけど。

それと、人間に追われたクマは、雪の上をできるだけ歩かないようにして、水の中を歩いて逃げることで足跡を残さないようにしています。足跡を残せば残すだけ自分たちは追われるんだ、そういうふうに考えているんですね。

——それは本能的なものですか。それとも親について歩いているうちに覚えるんですか。

彼らの本能だと思います。動物の本能だね。シカなんかでも五頭歩いていても一頭分しか足跡はつかないですから。新雪の上なんかを、シカは追われなくてもそういう歩き方をするから。何頭いても一頭分の足跡しかついていないんですが、途中から分かれたりするんです。

手負いグマ逆襲の知恵（その一）

——手負いグマを追った経験はありますか。

私の仲間が春グマを撃って手負いにしたのを追ったことがあります。そのときは、距離は相当あったんだけど、沢越しに撃ったらクマがググッと下がって、「ああ、弾が当たった」ってすぐわかったそうです。

翌日、白老《しらおい》の奥へ行ってみたら、クマは血の跡をつけながらどんどん移動していて、クマを追ってもその日には獲れなかったんです。それで、ずっと白老の民家に近い方まで下がって行って、「このクマ、どこへ行くんだろう」って仲間が私に聞くから、私もその山は初めて行った山だけど「クマは私らより山を知っているんだから、クマが逃げて行く場所にいい場所はない。傾斜のきつい崖とか竹の密集林のはずだから、おそらくクマはそういうところに行っているんだろう」と言って、わりとクマの隠れる場所のない山をどんどん登っていったんです。そしたら夕方になってしまって、追って行った犬も戻ってこないし。今日はしようがないから明日にしようって言って、林道についた血の跡を他の人に見られないように消して、次の日に朝早く白老をまわって行ったんです。すると、もう白老のハンターが後をつけているんですよ。

本当はハンター仲間のなかでは、他人の手負いグマの足跡はつけるものではないんですよね。獲っても獲られたにしても私たちに権利がありますから。「このクマはそんなに簡単に人に獲られる場所に逃げ込むわけはない。そんな簡単に人の入れるところには行かないよ」って私は仲間に言ったんです。

それからいくらも行かないうちに岩の多い沢がありました。その沢の頭がすごい崖で、竹原になっているんだけどそこにクマが下りた跡があった。私も向かいのヒラ（斜面）からその崖をぐるっとひと回りまわったけどわからないんです。大勢の人が来てワーワー言われても嫌だから早く獲ってしまおうと思って、私はついてきた二人に、「あんたらは撃ち方にまわって、私が追い方に入るから」と言ってね。向かいのヒラから見たら多少蛇行して尾根が下りているから、「この荒い場所にしかいないはずだから」と伝えたんです。

こっちからも尾根を下がって行って、「私が下がったら、そこへ行ってクマが出るから撃ちなさい。でも、私も歩いているから私を撃つんでないよ」と言って、私は声を出して白いものを被って、仲間からわかるようにして、あくまでもクマを人間の下に置きながら慎重に追ったんです。そうやってここだと思うところまで行って、「おい、ここだぞ、いるはずだぞ。気をつけろよ、よく見ろよ」って。もう三〇メートルくらいだから、仲間からは見えるところにいるんですよ。

私もそんなに命がいらないほど度胸があるわけではないんですよ。手負いグマだから、そこで死んでいるとは思わないから。そこに手負いグマがいるんだと思ったら、慎重になって。そうなったら足の一歩ほどの幅も動かないんですよ。

——ほんの一〇センチくらいずつ進んでいくわけですか。

そうそう。斜面の竹藪の場合、もうすでに私はクマのすぐそばまで来ているのに、斜面だから竹が下に向いているし密集しているからそこにいるクマが見えないんですよ。それだから声を出したり立ち木を叩いたりしたら逃げるかと思ったら絶対に逃げないんです。クマは音も出さない。でも、どうしてもそこだけが蛇行した変わった地形だからここ以外にないと思って。私の気持ちもそこにいると思うだけに足が進まないんですよ。そして声は出すんだけど前に進めない。そしてそこにある木に登って上から見ても全然見えない。「おい、ここにいるはずだからよく見ろよー」って私も怖いから相棒に声を出して自分自身も勇気をふるいおこしたんです。今度は、しゃがんで竹の根の隙間をすかすように見たら、なんとすぐそこにいるんですよ。直径一〇センチくらいの黒いものが見えて、後は全部竹で覆われていたんです。

――距離はどれくらいですか。

二メートルちょっとですね。それくらいしかない。そして、手負いだということがわかっているから確認の弾を撃つのはそういうときだけです。そして、しゃがんで鉄砲をのばしてわずかに見えているところにドンと撃ったんですよ。

そしたら、なんとそれまでいくら木を叩いたって「オーイ」って言ったって動かなかったやつが、ガサガサって竹を掻きわけてワリャリャーと跳び上がったんですよ。ところが、下から撃った連中がいかに頼りないかといったら、二人で一三発も撃って、その三〇メートルのあいだで倒してくれないんですよ。鉄砲の音は聞こえるけど。私はちょっと窪んだところにいたんで、高いところの陰にいたクマは私からは見えないし、どんどん逃がされては困るから、「オーイ、オイ」って言ったって向こうは撃つのに一生懸命で返事はない。

私は逃がしたら困ると思って、そこをガサガサかきわけて上がっていって撃ったら、下から撃たれるたびにクマが「ギャーッ、ギャー」って叫ぶんですよ。そうやって叫ぶのは弾が当たってはいるんだけど急所に当たらないで手足にだけ当たっているということなんですよ。手足の骨に当たっているから、それこそ骨身にこたえるほど痛いから。でも倒れないで走っていったんです。ようやく私も体勢を立てなおして、そこから一発撃ったらやっとゴロンと倒れました。斜面で倒れてそのまま三〇メートルほど、ドドーッと滑って沢の中に落ちていったんです。「やれやれ、獲った」と思ったけど、そういう手負いグマの怖さというのはやった人でなかったらわからないですよ。でも、あっちこっちで手負いグマに襲われたというのはその人たちの狩猟のやり方がまだ勉強不足だからではないかと私は思います。

――じゃあ、クマはぎりぎりまで近寄っても身動き一つしないで、じいっとひそんでいるわけですね。

はい。だから無造作にガサガサッと近寄って行ったら、かぶさって来て、すぐ襲われ

てしまいます。

——そうすると、手負いグマとの距離がわずか二メートルで、そこでガンガン音を出しても動かない。

動かないです。

——それでいよいよ自分の近くへ来たらむこうから襲ってくる。

そうなったら向こうから逆に襲ってきます。それまでは一切動かない。声も出さない。

——普通だったらこんな近くでガンガンやれば、ガサゴソいうだろうと思ってしまう。それが間違いなんですね。

それが手負いグマの、人間より知恵の発達しているところだと思います。

——もう手負いだから逃げる力が残っていないからそういう行動をとるわけですか。

逃げる力はまったくないんですよ。そうすると、生きようとしたら相手を倒すしかないんです。相手を倒してでも生きようという、その怖さをハンターの人らは知らないで、手負いでもう動かないから死んでいると安易に考えてしまう。鉄砲撃ちの場合は特に、自分の撃った弾で死んでいるという先入観があって、それがまた危険なんですよ。

手負いグマ逆襲の知恵（その二）

——一般的な解釈だと「手負い」というのは体の一部を傷つけて怒らせてしまったと。そうすると怒り狂ったクマが怖いというふうに思うけど、実際はどうなんですか。

そうではないです。弾を食っていても相手が逃げられるだけの体力が残っていれば、銃で人間に撃たれるということは彼らにしてみればすごい恐怖ですから。そして打撃もすごく受けることを知っているのでその場にいないのが普通なんですよ。危険なことは、彼らが逃げられないだけの手負いをしたときです。

——少しでも逃げる体力があれば逃げるわけですね。そういうのは本当の手負いというのではないんですね。

遠くにまだ逃げる力が残っているのは本当の手負いではありません。逃げる力が残っているクマは、どんなときでも逃げます。そしてもう自分が逃げられない、力尽きて逃げる力もないというくらい力を奪われたときの手負いが怖いんです。そういうクマは撃たれた場所の近くにいるんです。遠くまで逃げる力が残っていないから。

でもクマというのはもう逃げる力がないからこれで死んでもいいという考え方はなく、逆襲してでも、できるかぎり抵抗して生きようと考える。それが生きものの根性ですからね。これはあたりまえのことです。足が折れた手が折れたといったって、骨が折れたくらいではまだ逃げる力があるからそんな撃たれた近くで待ってないよって私は言うんです。どんどん逃げてしまう。だから致命傷を与えたようなときの手負いは必ずクマの足跡を下に見るように斜面の上から後をつけないと危険なんですよ。

それから手負いというのは大量の血が出るので、すでに死んでいるという先入観を持って足跡を追っていくと一番怖いんです。クマはそんなに馬鹿じゃなくて、自分が逃げる力がないほど深手を負っていることを自覚していますから、人間が必ず自分を追って来るということを読んでいます。そうするとクマは必ず、ブッシュなり岩なり、それから利用できるような大木でもあったら、その場所から斜面の上に登るんです。上に登るということは、クマにしてみれば逃げる体力もなくなっているから大変なんだけど、生きようという執念の恐ろしさはそこにはっきり現れてきます。相当の崖でも登ってしまうんですよ。それで登ったら、そこからバックするんです。今やって来た方へ向いてだいぶバックするんですよ。

――止め足ではないですか。

止め足ではありません。そうして自分の足跡の上をバックして、いい場所で少し横にそれて、そこで待ち伏せしているんですよ。そうするとハンターは「もう死んでるはずだ、もう近いぞ」って言って声を出して追うので人間が来るのがわかる。クマの方は一気に押さえられるほど接近するまでじっと動かないんです。

――人間の方は気づかないわけですね。

追っている人間は足跡だけを見るから、落ちている血の跡を追ってクマのひそんでいる横を通りすぎてさらに上に向かって行こうとする。そこで襲われる。

──それはもう人間の後ろへ回れるわけですか。

後ろに回れる。だからその知恵がわからなかったらダメだよって言うの。新聞に出ていたんだけど、トウモロコシ畑に出たクマを追ってハンターが撃ちに行っているんですよ。それで、その翌日にクマに襲われたハンターが新聞に出ていたけど、あれは襲ったクマが悪いんではない。ハンターが未熟だと思ってやればいいんです。前日撃っているものが一晩あるのに遠くに行かないでそこら辺にいたということは、それだけ重傷を負って逃げる力を奪われているんだから危険だと思わないと。一番怖いのは、その死んだように動かないクマです。

──死にきってないわけですね。

そんなときに時間をかけろと言うんです。動くものに時間をかけるのではなく、そのようなときこそ時間をかけて慎重に接近しないと。一〇センチきざみでもいいから。そして、その人たちは「あそこにもう死んでいる」とワーワー言って、そうしたらクマが立ち上がったのでもう一発撃ったけど襲われて怪我しているんです。それはハンターの経験不足だと言えます。

──近づき方としてはどのようにしたらいいんですか。

まず生きているか死んでいるかを確認することが大事ですね。動物でもなんでも撃たれて死んだということは体の力が全部抜けるから手足でもぐたっと垂れるけど、手が浮いているというのは力が残っているということです。

——手がちょっとでも浮いていたらまだこれは力が残っていると。

それは次の逆襲の体勢だと見ていい。だからそういうときは、臆病だと言われてもいいから二の弾でも三の弾でも撃って完全に射止めてしまうのが一番大事です。ただ、そうやると私たちプロの考え方としてあまりにも青臭いと思われる。情けなさすぎる。なぜそれを見極める力がないのかというので、一発で死んだものに私は二発も弾をかけたことはないんですよ。

——でもそうやって手を宙に浮かしていたら。

宙に浮かしていたらそれは二の弾を掛けます。そのときはまだ生きているから二の弾を撃つのはあたりまえ。そして私が二の弾を撃つなというのにもちゃんと意味があるんですよ。死んでからでもとどめだといって撃つと同僚が来て見て「この人は、度胸がない」って。死んでから撃っている弾というのは解体したときに必ずわかるんです。皮膚というのは生きているうちに傷を付けるとそこに血が寄ります。ところが死んでから撃つと弾の穴はあるけど血が寄ることはないんですよ。

とにかく手負いグマほど恐ろしいものはないです。瀕死《ひんし》の重傷の中で、生きるために最後の知恵を絞りますから。

第三章　本当のクマの姿

これまでの野生のヒグマに関するイメージは互いに相矛盾するようなものが多かった。一方では、とても狂暴で人を襲って食べてしまう獰猛《どうもう》なイメージ、もう一方では、人間を恐れるとか、人なつこいテディ・ベアのようなクマの縫いぐるみのイメージである。

最近では電波発信器を取り付けてその行動を追ったり、飼育下の観察なども行われ、だいぶその生態は明らかになってきたが、野生のヒグマを至近距離で観察することなど研究者でも危なくてできないため、山の中での行動観察例はごく限られている。ヒグマはまだまだ未知の動物なのである。

ところが、姉崎さんは、ヒグマを師匠とし、常にその後を追う中から、山の中でのクマの行動を誰よりも詳しく知ることになった。それは実に稀有な体験である。

さらに姉崎さんの特異な点は、クマを追いながら観察するだけではなく、いつのまにか自分がクマになりきってしまうことである。自分がクマならこんなところは通らない、自分がクマなら、こんな逃げ方はしない、自分がクマだったら、死ぬほどの重傷を負ったら、こう反撃する、などとすべて自分がクマになりきって考えるクセが身についてしまった。これこそが「クマが私のお師匠さん」という本当の意味である。

今までヒグマの本を読むと、クマを弁護するかのように、クマはやたらに人を襲う動物ではないと言いつつ、次のページでは次々に人間を襲い食い殺していく獰猛なクマの食害の事例を延々と示していくものが多かった。私自身もこうした分裂したクマ像を示され、クマのイメージをまとめることができないまま本を閉じることが多かった。

そこで、至近距離から見たクマの本当の姿とはどういうものか姉崎さんに聞いてみた。

クマは里の動物

――もともとアイヌ語ではクマのことをキムンカムイと言いますが、この「キム」というのはヌプリ（奥山）と違って、どちらかというと「里山」といわれるようなところをさします。ですからキムンカムイというのは「里山の神様」と訳せると思うのです。するとクマは里に暮らす動物ということになりますが、実際はどうなんでしょうか。

クマは人間の行動が全部見えるような近いところに暮らしているんです。札幌のような都会のすぐそばというわけではありませんが、いなかの町だったらクマは近くにいます。

だからといって、人間の子どもたちが近くの山に遊びに入っても、事故が起きるものではないんですよ。彼らは人を襲うというよりは、遠慮しながら人間のそばで暮らしている動物ではないかと思うんです。

――クマは人間をじっと見て観察しているんですね。

はい。人間をずっと見ているし、人が来たら自分たちの姿はできるだけ見せないように逃げて歩く動物なんです。

北海道大学の研究者がクマに電波発信器を付けたときのことです。私はそのときに協力したんですが、スタッフには発信器からの電波の音がきこえているから、クマがシシャムナイのブッシュの中にじっと潜んでいることがわかるんです。それなのに、クマの近くを通りかかった人からクマは見えないんですよ。このときに、スタッフのみなさんが、「クマは本当に人間に遠慮して暮らしているのがわかる」と言っていました。

クマは人間のそばにいてもめったに姿を現しません。一般の人たちはクマのことを知らないので、頭からクマは人間を襲うものだと決めてかかっているけど、クマの方は逆に人間に接近されたら困るよって避けていると思うんです。

——クマを撃つハンターは、クマを追って山の奥深くへ入るというイメージがあるんですが。

春にクマが穴から出て、雪の上に足跡があるときが獲りやすいから、プロのハンターは山の奥へ入るんですよ。その時期だけは。

——秋口から山にハンティングに入るわけですよね。その頃はどうなんですか。

その頃は絶対に奥山に入らないです。ハンターは秋口の猟では、人が山菜採りに歩く辺りの山でクマを獲っているんです。そして春になるとクマを追って奥山へ入るんです。

順位の高いクマは高い山へ

——カムイユーカラ（神謡）では、立派なクマは山の真ん中の高いところに住み、位の低いクマは山のすその方で暮らすと言われているんですが、根拠があることなんですか。

やっぱりクマは順位を守っていますよ。水飲み場でも強いクマが行くと弱いものは離れて行きますから。

特に春になって穴から出た後のクマ、いわゆる春グマの場合に限って山の高い低いでクマの順位が出ますね。高い山は足場が悪いし、険しい。それだけに避難したり身を隠したりするには安全なところなんです。そういうところへは、やっぱり順位の高いクマが行くんです。

――それは春グマに関してだけですか。

はい。高い山には、穴から出た大きいクマの足跡があります。大きいということは順位が高いクマですから、そこのところをカムイユーカラなどで言ったんだと思うんですよ。若いクマならば、高いところまで行かないんです。ただ、春のその時期が過ぎると、餌のある下の方に順位の高い大きなクマも移動するのでこの関係は崩れるんです。

――春グマはどうしてしばらくのあいだ高いところに行くのですか。

身の安全と、餌に用事がないからでしょうね。

雑食性で小食なクマ

――ふだんクマが里に暮らすのはやはり餌があるからですか。

はい。たとえば夏に、風不死岳《ふっぷしだけ》とか恵庭岳《えにわだけ》のようなたくさんの人が登山をするような高い山では、クマを見ることはそうそうないんですよね。クマにとっても高い山というのは夏場に餌がないんですよ。だから今は町化したような、平坦な土地が昔からクマの住処《すみか》だったと思うんです。そういう低いところにはクマの餌となる、ドングリをつけるナラの木なんかがあるし、ブドウやコクワの蔓《つる》もあるし実もたくさんあります。

彼らは雑食動物ですから、たんぱく質が欲しいときには知床のクマはサケも捕るし、ほかの地域のクマはタヌキなどの小動物も襲って食べるんだけど、どちらかと言えば肉食ではなく草食の方が多いんですよ。夏はほとんど草ばかり食べています。つまり食性としては雑食性だけども、おもに草食性ということです。

——穴籠りに近いときはたんぱく質をけっこう摂るんですか。

いや、クマはいつも大食ではなく小食だと思います。とくに夏場はね。

——それも意外ですね。あれだけ丸々太るから大食いかと思いましたが。

いや、全くそんなことはありません。クマを知らない人たちはクマってすごく食うんだって言うんですが、ちがいます。冬眠明けのクマは腹がすいているから牛でも馬でもかぶりつくくらい食うんだって言うけど、そんなことはありません。

——それは俗説で間違いなんですね。

そうです。それを人間にたとえて言うと、断食明け《だんじき》のお坊さんにごはんを食べなさいなんて言うのと同じです。普通は重湯《おもゆ》から始まるんですよ。そうでないと回復できない。穴から出て来た後にクマは同じことをやっているんですよ。

私はそういう時期のクマに興味を持っているから、捕獲すると一人で内臓を全部調べながら解体するんですよ。興味を持ちながら解体するからクマの内臓までわかっているんです。

冬眠に欠かせない「止め糞」

――クマは冬眠中の穴の中では何か食べてるんですか。

私は食わないと思うんですよ。食わないっていう体の態勢をつくって穴籠りをするから食うわけないと考えています。あと、穴の中へ入ったら子も食ってしまうって言う人もいるけど、それは特殊な場合で、子が死んだら親が整理するのは動物の本能だから、そういう場合はあっても普段は何も食べないんです。

冬眠中のクマは「止め糞」というのを体の中に作っているんですよ。肛門の出口を塞ぐために肛門から一〇センチくらいのところまで糞で詰まっているんですよね。普通の糞ではなくて、ハンターはそれを止め糞って呼んでいて、クマにしてみたらそれを作ったら冬眠仕度の態勢ができあがっているということなんですよ。

――寝ているあいだに糞が漏れないようにですか。

いや、糞が漏れる漏れないではなく、胃の中とか腸の中には一切何も入ってないんですよ。冬眠する態勢ができたらね。

――止め糞は何でできているんでしょう。ウンコでできているわけではないですよね。

ウンコではないです。いや、腸の中にあるからウンコの一種とも言えますね。ただ、止め糞を作るときに食べるものは、腸の中に入っても発酵しない枯れた素材であることが条件なんです。

――たとえばどんなものですか。

ウド、木であったらナラの皮の硬いところや、コクワヅルの表皮の硬いところ。あとはブドウ蔓の皮の硬いところ。それから薹《とう》が立って立ち枯れているアマニュウとか、ナナツバ（ハンゴンソウ）とか、ラッパグサ（ヨブスマソウ）とかは薄いけれども、食べるというよりもてあそんだかのように全部粉にしてあるんです。そういうものをわずかしか摂らないようになると一般の食料からだんだん離れていって、今度は糞がだんだん出なくなります。

私たちハンターは、クマがそういうものを食べることを知っているから、食べた跡を見ると警戒してその山を探します。私が追って行って、穴へ入る前のクマを獲って調べてみたら、大体一週間のあいだに、ドングリがあってもだんだん食べなくなって、終いには全く食わなくなるんですよ。だから止め糞は一週間で作っていると思います。そうなるとクマはたとえ好きなコクワがどっさりあっても全く食べようとしません。すでに冬眠の態勢ができてしまったらもう体の方が受け付けないのだと思います。

――そういう乾燥したものを食べて、それが肛門の先端まで行って、そこから出ないようになっていたり、そこで固まって硬くなるというのは体の中からヤニみたいなものが出ているんですか。

いや、ヤニではありません。止め糞を分解してみると発酵しないカスが八割で水分がほとんどないんです。あとの二割は、その止め糞を腸の中に流すのに使ったと思われる、普段食べているもののカスが残っています。それがうまく混ざり合って、肛門のところに一〇センチくらい硬くなって止まっています。

――ようするにコルク栓みたいなものなんですか。

はい。そしてあとは、竹にほうきのような枝がたくさん出る年があります。その竹の皮も止め糞になるから食べるんですよ。こういうものも食べて止め糞を作ってしまったらもう、小便袋にも一滴のつゆも入ってないですよ。

――膀胱《ぼうこう》に水も入ってないんですか。

はい、肛門に硬いものが残っているだけですね。

――この止め糞というのはどういう役割をしているんですか。

私はクマと人間と繋《つな》いで考えたことがあります。それは軍隊に入ってから盲腸《もうちょう》で陸軍病院に入院したときの話ですが、そこに痔瘻《じろう》といって、肛門が全然使えない兵隊がいました。その兵隊の治療は肛門と腸を切断して、その腸を臍《へそ》の下から出るようにして、排出するときは受け皿を当てて自然に出るようにしていました。

その兵隊はその治療を半年も続けていました。私はそういう肛門を使わないで治す痔瘻の治療を見たんですよ。人工肛門を臍の下に作ってね。

――肛門を使わないようにして治療したんですね。

はい。そしてその治療のあいだに、肛門が絶対にすぼまってはいけないので、瓶の栓みたいに肛門に栓をしていることをその患者から聞きました。

――人工肛門を使っているときも、本当の肛門には栓を入れないと癒着《ゆちゃく》してしまうからですか。

癒着でないんです。肛門の収縮をなくしてしまうと、今度肛門を腸と繋いだときに広がってくれないんです。すぼんだきりになって広がってくれないというわけです。クマも同じことかと考えたんですよ。

――なるほど。それで、その止め糞ですが、春先になってお尻の穴にコルク栓が詰まっているわけですよね。これを抜くのにどうするんですか。

あの、コルク栓のように穴に詰まるんでないんですよ。肛門から腸までの一〇センチぐらいのあいだが発酵しないように枯れた素材で栓をしてあるから、それが肛門と腸のあいだに詰まるんですよ。ようするにもう糞を出さない原理を作っているから、肛門もばっちり閉まって、肛門が開いてツッペ（栓）をするんでなく、食ったものによってツッペの形になって留まってるんですよ。

――実際に解体して確認したわけですね。

はい。私は春先に、止め糞を出す前のクマと止め糞を出し終わったクマの二頭を獲ったことがあるんです。私は獲物を獲ったら一人でゆっくり解体して調べることにしているからそういうこと知ったんですけどね。

止め糞の出てないクマの方は穴から出たら、春一番のフキノトウとか、アマニュウの葉っぱを食べるんですよ。食べるっていってもわずかしか食べてないんです。その葉っぱが、腸や胃の中の喘息《ぜんそく》の痰《たん》のようなネバネバッとしたやつで肛門まで運ばれて行って、止め糞が詰まった上のところで止まるんですよ。一枚でも二枚でもちっちゃな葉が止まっていて、それでおにぎりぐらいの大きさにまで溜まると、そこが膨張してプーと風船のように膨らむんです。そのふくらんだやつが息張った勢いでボンと出るんですよ。それがこの肛門の詰まったものを出す力。肛門が破れるくらい、ボンと出る。

——鉄砲玉みたいに飛んで出るんですか。

クマがここにいたなと思う位置から、三メートルも尻から飛んでいるんですよ。その尻から先に水鉄砲の弾のように飛んでいった止め糞が落ちていて、そこから肛門に繫がるところまでは後から食べたものの草やなんかの汁がビューッと連なっているんです。これを見て圧をかけて飛ばすんだとわかりました。

それにしても、胃袋に何一つ残さないで冬眠する仕組みが不思議だなあと思うんですよね。止め糞を出すまではほとんど草も食わないですよ。出してからクマの食欲もだいぶ旺盛になって、どんな草でもワリワリ食べるようになるんです。

——今までは、どのようなものを食べて止め糞を作っているのかあまり知られていなかったん

ですね。

クマを飼っているクマ牧場の人でも全くわからなかった。私は独りハンターなので、誰にも、何でおまえそんな馬鹿なところを見てるんだと言われないので、自分の思う通りに解体できるんですよ。自分が気の済むように解体して、自分で納得いくように観察するから、自分が関心を持っていることに手間ひまかけるんですよ。

――そうすると、冬眠する動物というのはみんな止め糞を作っていると考えていいんですか。

解体したことはないけど、一カ月でも二カ月でも食べないでいるヤマネとかには、原理的にはあるかもしれないですね。

冬眠する穴の権利

――クマの冬眠はだいたいいつ頃から始まるんですか。

雪の多いときには、だいたい一一月の終わりになると始めます。雪だけでなく餌の関係もあって、雪が早く降ってくると体ももう冬眠してもいいよというだけの蓄えが体にできるから、さっさと奥山へ入るんですよ。

でも、一回でさっと行くのではないと思います。これは私が永年追って歩いているうちに「ああ、このクマは自分の穴に、権利を付けるために見回りに行ったな」ってわかるんですよ。

そう思うのは一一月の終わりに、昔はドングリがたくさんあったんです。雪の下にもだいぶドングリがあって、まだ食べるものはたくさんある頃に一旦山の奥へ向かうんですよ。それで一週間くらいしたらまた戻って来ます。私も行って見ているわけではないので、そのあいだは完全にそうなんだと確信を持っては言えないんだけど、必ず自分の寝ぐらの権利を付けて、何か彼らなりに「ここは私の寝ぐらだよ」という匂い付けなり何なりしてきたんだと思うの。

だから下の方でうんと呑気にしていて、昔だったら雪が降って腹で雪を割って行くくらい遅くなってからでも、安心して穴籠りに登っていくクマがたくさんいたんですよ。そのくらい遅くなってから行っても、もう匂い付けして自分の入るところの権利を付けているから安心しているんだなって思うんです。おそらく彼ら動物の世界ではそこら辺まで関係ができあがっているんだろうと思います。

出産は穴の中

――クマが子どもを産むのは冬眠中の巣穴の中なんですか。

はい、冬眠中。一月から遅くても二月の初旬までですね。交尾は六月から七月の一〇日前だと思います。北海道大学の学生たちの登別の研究結果では、交尾してすぐに妊娠するのではなくて、交尾した雄の体液がどこかの何とかという袋の中に保管されるんだそうです。それで、雌が夏から秋口まで歩いて、餌が豊富になって体脂肪をつけて子どもを育てられるだけの力が付いたと思うと、今度冬眠したときにその袋から出て妊娠するんだそうです。

——着床するまで浮遊しているというふうに言われていますね。

そうなんです。だからクマの子って小さく産むでしょう。妊娠期間が短いから。生まれてきた子は、まったく毛が生えてないんですよ。ネズミの子みたいなやつを産むのは、結局、交尾した後にすぐ妊娠してどんどん母体の中で育つのではないからなんですね。冬眠したときに初めて妊娠して、一ヵ月かそこらで産むから小さいんですよ。

——そのとき母親は、穴の中で半分冬眠状態でおっぱいを出しているわけですか。

はい。でも、冬眠っていっても穴籠り中は眠っているわけではないんです。まったくの穴籠りです。もし人間がちょっかいを出したら、いつでも目覚めて怒ります。

——食べものが豊富だったら冬眠をしなくてもいいとも言われていますが、冬は食べものが少ないから穴の中でじいっと半分覚醒の状態で過ごしているんですか。

そうなんだろうね。やっぱりそういうふうに野生動物の体ができているんだね。

滑り台で遊ぶ親子グマ

——クマは冬眠していた穴から出た後、止め糞を出して草を食べ始めるまで何をしてるんですか。

クマは穴から出た後一〇日くらい何も食べないんですよ。まず陽の当たるところに行って過ごすんです。

穴から出たら空腹でふらふらになって歩くなんて言われるんですが、それは違います。それとは反対に、木登りしたり、雪の斜面の高いところに登って尻滑りしたりして遊ぶんです。本当に元気ですよ。でもまだ身体が餌を要求してないんですね。とにかく楽しそうに、穴のそばの雪解けのところで滑ったりして遊んでいますよ。

子連れグマだったら子どもを連れて穴から出て、雪山のところに滑り台を作ったり階段を作ったり、人間よりうまく作るんですよ。これは単に子どもを遊ばせるためだけに作るんです。登って行ってはまた滑り降りて遊んでいます。こういうのを見ると、クマは人間より知恵があると思いますね。

——それは親が作るんですか。

親が作ります。その年の春に生まれた子どもは全く小さいから、親のいるすぐそばに小さい滑り台を作って子どもを遊ばせるんですよ。

——親と一緒に去年生まれた子グマも穴籠りしてるんですよね。

はい。二年したら二歳仔と数えで言いますが、その子どもたちはもう体力がすごくあるから、遊ぶのは高いところへずっと登って行って、人間と同じで尻滑りしてダーッと降りる。それでまた登って行って滑って降りて来る。それを子どもだけでやるかっていったら親もやるんですよ。親がやって見せるから子どもができるんです。

——なんでそんなふうに遊ぶんですか。

穴の中に何カ月も寝ているから、少しずつ体を慣らしていくのが目的ではないんだろうか。その後、山を移動し始めるからね。

——穴から出た後は遊んで体を慣らしているんですね。

だいたい子連れは遊びをやらせますね。

——その後に少しだけ葉っぱを食べて止め糞を出すんでしたね。

はい。その後二週間くらい高い山に行って、身体を徐々に慣らして止め糞が出れば、普通に食べられるようになります。

——それで二週間くらいすると山を下りてくるんですか。

はい。身体ができると下に下りてきて餌を食べ始めるんです。

三歳までは親と一緒

——ほかに親グマは子グマにどんなことを教えるんですか。

子グマが母グマと穴籠りするのは三回。ようするに三年間は親と一緒。子グマはその三年のあいだ、親離れするまでに生きる術を親から全部教わります。どこに行ったらどういうものがあるか、どの場所にはいつ頃どういう草が早く生えるかとか。かなり広い行動範囲を親と一緒に歩いている中で、子どもは自然と親から覚えていくんです。

冬眠する穴も子ども自身で開拓するというよりも、親について歩いている周辺に子も穴籠りします。親について歩いて覚えたことは、次にその子グマが親になったらその子に教える。ずっと繋がっているからどこへ行ったらどういうものがあるということは伝わっていくんですね。

——二歳仔までのクマがはぐれたらどうなるんですか。

親について山から下がってきた二歳仔だと、ハンターに親を倒されたら、その子だけでは山へ戻る力はないんですよ。というのはリーダーがいないから。親がリーダーですから山へは戻れない。

クマは三歳になるまでその周辺の山で親と一緒に穴籠りをして、三歳になって初めてようやく自分で山へ帰る力が出るんです。

——子連れの母グマは気が荒いと聞きましたが。

たしかに子連れグマは気が荒い。子どもがいるうちは絶対に死ねないというように、母グマの魂が母親を殺さないいんだと思うね。その気迫が母グマを生かしているんだね。どんなに深手を負っても簡単には死なないいんです。だから子連れグマには気を付けなさいって言うのはそれなんです。

——もう子どもを守りたい一心なんですね。

そうですね。

昔のクマと今のクマ

——親グマから子グマへ生きる術が伝えられていくということですが、クマも環境に適応して変わっていくこともあると思います。たとえば最近、電波発信器を付けてクマの行動を調べてみたら、千歳《ちとせ》にふるさとを持つクマが、なんと穂別《ほべつ》まで移動しているということがわかりましたね。けれども、それは実は現在のクマの行動であって、昔の餌の豊富な時代のクマはそんな広範囲な動きをしていなかったんではないでしょうか。

そうですね。今は餌のある森林がないからやむなくクマの行動範囲は広くなっています。昔は移動するといっても山も豊かだったので、そう遠くまで行かなくても彼らは生活できたんです。今のクマが広範囲に動くのは、危険を冒してでも生きようとする彼らの努力なんだと思います。あと、穂別に行って戻ってきたのは、やはり生まれ育った土地が一番懐かしく思ってそこが安心だから危険を冒してでも千歳に戻ったということもあるでしょうね。

——けっきょく穂別に行ったのも、千歳では餌が足りないから仕方がなく餌の豊富な場所へ行ったということですか。

そうですね。穂別の山はナラの木が多いところで、樹木も世代交代して木は若木が多いですけど、もう実るくらいの木はたくさんあります。向こうは道有林で、千歳は国有林で、どっちの山が傷んでいるかというと千歳の国有林の方が傷んでいます。

――そのクマにとっては千歳の森では餌が足りなかったんですね。

これらは学者にいろいろと調べてもらわないとわからないんだけど、私の考えでは酸性雨とかの影響で花の時期に実りを悪くしているのではないかと思います。

たとえば、千歳の廃棄物処理場の煙突からの煙とか、製紙会社の煙がそんなに広範囲に影響しているのなら人間が暮らせないしね。他には、気温の差があるのかと考えたりもしますよ。それでも穂別は実りが豊かなところです。

――クマの行動範囲は植林の影響が強いようですね。

植林が盛んだったときに、もともとあったミズナラの木を戻さないで、マツの木などの針葉樹ばっかり植えたでしょう。エゾマツとかトドマツばっかり植えたからね。

結局そのような木は、クマから見ても鳥から見ても嫌うんですよ。針葉樹の下というのは、土壌もかなりやせているからミミズもいない。クマはミミズを掘って食うことはありませんが、腐り根の下には普通、昆虫がいるんだけどそれもいない。実りも何もないしね。そのせいでクマの行動範囲が広くなったということはあると思う。

昔のクマの行動範囲はこうで、ここからはここへ行くというクマの移動コースを読めていましたが、今のクマの移動コースは今の山の状態を知らなかったら読めません。山にどういう種類の木が植えてあって、どこをクマが嫌うかと、そこまで併せて読まないと移動コースがわからないんですよ。

私は山が好きなので、暇さえあれば山ばっかり歩いていて山をよく見ているから、今のクマでもここは通らない、ここは通るということはだいたい言えるんですよ。

——それにしても現在のクマに電波発信器を付けてみると、クマには潜在的に広範囲を動く力があることがわかってきたわけですね。

クマは日高《ひだか》山脈から夕張《ゆうばり》山系あたりで動こうと思えば今もどうやら動けるけど、道南《どうなん》のクマはまったく森林の繋がりがないんですよ。むかし、森林の繋がっていた当時は、この支笏湖《しこつこ》周辺のクマの数も多かったし、道南のクマの数も多かった。だから道南との交流と繁殖はかなりあったと思います。でも今は一定の狭い場所に閉じ込められているから繁殖率もだんだん落ちたんだろうと私は思っています。昔は行く途中の村々でもクマによる家畜の被害がありましたからね。

こういうことがわかるのは少し体の小さい特徴を持つ道南のクマがここでも獲れたことがあったからなんです。

よそ者グマの不安

——外見から道南《どうなん》のクマってわかるんですか。

　わかります。このあいだクマの研究者にも話したんですよ。道南のクマを気をつけて見ると、千歳のクマとか日高山脈のクマには滅多に見られないような手の裏の窪《くぼ》みに毛が生えています。足の裏に毛の生えたクマはいませんが、道南のクマだけに特有の毛が生えているんです。それがたまに獲れることがあります。
　このような渡りクマのことを、アイヌ民族でも「よそ者」というふうに表現していて、そういうクマが来たときには気をつけなさいって言われましたね。よそ者が入って来たら足跡でわかるから気をつけろと。
　人間と比較しても、人間が知らない土地に入っていくと、住み慣れた土地と知らない土地では精神の落ち着きが違うから、当然、動物でも同じですよ。クマにしても知らない土地に入ってきたときには警戒して歩くから、足の裏を浮かせるように歩く習性があります。

——そういうときに音はしないんですか。

　クマの方が警戒しているから音はしません。足の裏をべったり全部付けていない足跡があるときには、よそ者のクマがいるから気を付けなさいよという話はありました。そして私なりに考えてみると、よそ者は警戒して歩くからそういう足跡になるんだろうなと思います。

足音をたてないクマ

――クマを追うときに足跡は重要な手がかりですね。

たとえば、クマにはここだと決めた水飲み場がありますから、そこには足跡が残ります。足跡以外には夏場ですと、谷川のやや浅いところの火山灰を掘って少し深くして水浴びをするんです。そうするとその周囲の草が寝ているんですよ。そういう痕跡があるし、それは限られたカムイワッカ　クウシ（クマ神様がよく水を飲む）という場所で、昔から何カ所かあります。

クマは自分たちの身を守ることでは実に真剣で、少し臆病になっているくらいだと思うのは、水場に出てくる方角がいつも同じで、踏んだ足跡も同じということを見てもわかります。だからクマが歩いた足跡を歩いたら人間が歩いても音がしません。音がしないというのはクマ自体もそれだけ警戒して同じ個所を踏んで歩く。そしてまた、次の日に来ても同じところを踏んでくるから音がしないんです。

私が猟に行ってみて感じるのは、クマは人間を本当に警戒して出てくるんだなあということです。いつも出てくる慣れた道でもサッサッとは出てこない。時間をかけてゆっくり、そして水飲み場に出るのに人間という邪魔者がいるかいないかをちゃんと確認してきます。

ある日の夕方、クマがよく水を飲むところで待っていると、かすかにパリンという小枝の折れたような音がしました。滅多に折れないけど、たまにケモノ道の上に新しい枝が落ちるからクマが歩くと折れる。するとこちらは来た来たと思うんです。でもこちらがじれるくらいなかなか進まないんですよ。待っているあいだに日が暮れました。

――暗くなって見えないくらいになったんですか。

暗くなってしまって私の方はよく見えない。そのときのクマとの距離はだいたい一二、一三メートル。クマの方が少し斜面の高いところから来たので、いや、どうしようもないなと思って。それでも来たのがわかったから変な動きをするのは嫌だから黙って立っていると、ちょうど私の真上にあたる斜面に来るとピタッと動きが止まりました。私は真っ暗で目が見えないけどクマの方はそこからこっちが見えているんだなと思いました。来たらパッと懐中電灯を照らしていよいよクマを撃とうと思ったら、電池を忘れてきていたんです。私は動くわけにはいかないから仕方なく黙って立っていましたよ。それでも向こうは飛びかかってこない。そのうち五分、一〇分、一五分も経ったらクマは立ち去って行きました。

このことからもクマというのはそんなにすぐ襲ってくる動物ではないと私が言うのが

証明できると思います。

――人間が障害になっていたので戻ってしまったんですね。

その水飲み場というのはママチの奥の方にあって、最もクマの集まる場所で、そこに私は何回か行って、撃ち獲ったことがあります。

これは別のときですが、六月のある日、元気をつけるつもりで普段は飲まない酒をなめるくらいのわずかな量を少し飲んで、水飲み場でクマが来るのを待つことにしたんです。最初は木に登って、これならクマが来たらよく見えるから遠くでも撃てるなと思って見ていたんです。ところが酒を一口飲んだのが悪くて喉がひどく乾いて水が飲みたくなったんですよ。まだ時間が早いからクマが来る前に失敬してクマの水飲み場で水を飲むことにしました。

水が湧いているところは二メートルくらい低くなっていたので、銃を二メートルくらい高いところに置いて、それから腹ばいになって水を飲もうとして口をつけたとたん、上の方から「フウォー」って唸り声が聞こえてきたんです。

クマは私が見えなくても匂いで人間がいるのがわかるので、私が見えなくても唸ります。その唸り声を聞いたとたんに「来たーっ」と思いましたよ。鉄砲撃ちが鉄砲を離していたらこんなに弱い者はないんです。「鉄砲！」と思って二メートルくらい高いところによじ登ろうとしたけど軸足がガクガクって笑ってね。ようやく鉄砲に手が届いてな

んとか上にあがったけど、膝の震えは止まりませんでした。だからそんなときにクマを狙ったって当たりっこないんですよ。はずしてしまいました。だからいい思いばかりでなく、そんな情けない思いもしているんです。

日光浴が好き

――結局いまのクマは、人間にあわないようにとても慎重に振る舞いながら、食べものがありそうな森を少しでも繋いで移動しているわけですね。

そうです。植林したところは本当に嫌うんですよ。木の実が実らないし、日陰すぎる。光のないところでは、子連れグマでも寝転んだりしないことを見ても、彼らは日常の生活に太陽の光を必要としていることがわかります。大体山の中でもクマは野っ原のように木もないような日の射すところに寝ていますからね。

――それも意外ですね。暗い日陰に寝ているかと思っていましたが。

だから長いことクマを追って歩いた人でないと完全に彼らを知ることはできないと思います。

――クマの寝ぐらというのはいつも同じ場所なんですか。

いや、たまによっぽどいい場所を見つけた場合は、夏場の山だったら同じところに一カ月くらい暮らすことがあるんです。そうでないとだいたい早くて三日、長くて一週間が限界で、寝ぐらをしょっちゅう替えます。一日の中でも替えることがあります。彼らにしてみれば痕跡を残さないようにしているんです。生き残るための移動だと思うんですよ。

クマの寝ぐらは、地形の経験がないと説明しにくいんだけど、斜面の台地で、寝ている状態で左からでも右からでも人の気配がわかってすぐ逃げられる場所を選んでいますね。

——寝ぐらの下はどうなっていますか。クマザサなどがあるのですか。

いや、そういうものはないんです。落ち葉だけですこし体が入るぐらいの窪みがあるところを特に好んで昼間に寝ます。彼らは太陽の光をとても必要としていますからね。素人が暗い山に入るとクマが出そうだって言うけどそんな暗い山にはクマはいないんですよ。

クマは一頭で、一つの山に一メートルか二メートルほど離れたところに寝ぐらを三つくらい持つんです。なぜ一頭のクマが寝ぐらを三つも持つのかと思って、そこに行って立ってみると、一つは午前中、次が昼間といった具合に、日が当たるように少しずつ替えて移っていることがわかりました。落ち葉がすっかり寝ている寝ぐらの跡がそんなふうに三つもあるんですよ。

植林地であっても寝るのはやっぱり日の射すところですよ。そして落葉樹の中に寝るのは秋に葉が落ちてからになりますね。

——逆に明るいから目立ちそうな気がするんですけどそうではないんですか。

そうでないです。やっぱりそういう明るいところを好むんです。

——意外ですね。

薄暗いところには寝ません。薄暗いところを好む動物はタヌキです。タヌキは笹薮《ささやぶ》の中、竹藪《たけやぶ》の中。タヌキはキツネに襲われるから、身を守る術なんですよ。キツネは逆に笹の中が嫌いなんです。

性格のいいクマ

——クマは知恵のある動物だと言われますが、性格のいい、悪いなんていうのもあるのではないかと。ウエペケレ（昔話）の中には、サケの筋子をつぶして塗りたくったような色、つまり赤茶けたような褐色のようなクマは素性がよくないとあります。そのように毛の色で悪いクマとかいいクマと見分けられるものですか。

私たちはクマを見れば撃つ方だから、そんな相手の怖さまでは知らないんだけど、気の荒いクマ、おとなしいクマは、顔ではっきり区別できますよ。

——毛の色は関係ありませんか。

毛の色はそんなにわかりませんね。

――性格の悪いクマの顔だちというのはどういう顔だちですか。

あごがぐっと長くて、顔が普通より長くて頭が張っていないいんですよ。そういうクマは目つきが悪いです。逆に鼻が短いクマはいいんですよ。おとなしいんです。

――じゃあ、鼻面の伸びた長いのがよくないと。

よくないですね。犬も同じですよ。

――顔つきはそういう意味ではクマと犬は共通性があるんですね。

それから目。白目でギューっと睨《にら》むクマがいる。これは性悪。

――人間と同じじゃないですか。

ほとんど同じです。

好きな食べもの

――次にクマの好き嫌いを聞かせてください。クマが一番好きな食べものは何ですか。

主食として一番多く食べるのはドングリですが、一番喜んで食べるのはコクワ（サルナシ）です。相当危険な場所まで行ってでも採って食べます。

――それと、蜂蜜はどうですか。

蜂蜜はハチに刺されても、木の中に顔を突っ込んで「ギャー、ギャー」ってなきながらでも夢中になって蜜を食べますね。その蜂蜜は好物だといってもいつでも手に入るというわけではないから。しょっちゅう手に入って好物としてよく食べるのはコクワです。

──クマは甘いものが好きなんですね。

甘いものは平均して好きです。

──よく、穴籠りの前に、手のひらに蜜や何かをたっぷり塗って、冬眠中に穴の中で手に塗った蜜を時々なめているって言われるんですが、それはどうなんですか。

それは素人が考えること。人間の靴でも歩けばへってしまうでしょう。クマだけになんで足の裏に蜜がたまるんですか。歩けばとれてしまうはずでしょう。クマだけにそんなことはないんです。

──特に、中国料理では手のひらに蜜や栄養分がくっついているからおいしいだとか、左手がおいしいとかって言われているけど。

右も左も味は同じですよ。私はよく「クマが食べたものは食道を通って、胃や腸からちゃんとどこにでも栄養は行き届いているんです」って言うんです。「左足だけに栄養が行って右足は痩せているということはないんです」って。ところが、左足がうまいんだって左足に値段を高く付けておいて、右足出したって形を見てもわからないから、それも左足として出すんですよ。あれも商売。

──じゃあ冬眠のときに手のひらに蜜を塗ったなんてことはありえないですか。

ありえないですよ。だいいちその頃になるとものを食べないんだから。

――手のひらの肉球の部分がコリコリして変わった味がするんで値段が高いとか、中華料理でそこが珍重されるということなんでしょうね。

おそらくそうだと思います。

――クマの好物の話に戻って、ブドウはどうですか。

ブドウはそれほどではありません。ブドウというのは人間が食べても大量に食べると舌が切れますよね。それと同じでクマも食べすぎれば舌を傷めると思うんです。ブドウは食べるには食べるんだけどコクワほどではありません。

――最も大量に食べる主食がドングリということは、やっぱりドングリがなる森が一番好きなんですか。

そういうドングリがなる森を回復してやればいいんだろうね。クマ、シカ、タヌキもドングリを食べますから。

――それと、よく木の上にクマ棚といってかたまりのようになったものがありますよね。あれはブドウ蔓か何かを引っ張った跡ですか。

そうです。ブドウでもコクワでも、自分が安定する幹まで行ってそこでがっちり木にまたがってツルを引っ張る。力はかなりあります。だから枝も全部引き寄せて、コクワだと引き寄せているうちに熟している実はほとんど落ちるけど、彼らは落ちるということもよくわかっているんですよ。グイグイ引っ張って蔓《つる》を全部落とすんですよ。そうすると秋深いとコクワの実はみんな下へ落ちるからね。
それで地面に下りて大量に食べます。コクワだけのクマの糞といったらバケツでいっぱいくらいのかたまりがあります。だから、ハンターが獲って肉がおいしいって喜ぶのはコクワを食べているときのクマなんですよ。コクワとドングリを食べているときのクマの肉の味はいいですね。

――クマは薬草のようなものを食べたりしませんか。

薬草っていうのか、たとえばフキノトウとかオオバセンキュウ、ギョウジャニンニクといった春一番に出る草ですね。フキは人間にも風邪薬として効くんです。それからフキノトウの若いうちに天ぷらなんかして食うようなところでも、やっぱり風邪をひいたら薬草に使っていたんですよ。

嫌いなもの

――クマが嫌うものは何ですか。

ヘビは嫌いますね。山を歩いているときに、ヘビと出会ったという感じでクマが怒って騒いでいることがあるんです。ヘビは天気のいいときはとぐろを巻いているでしょう。そこをクマが知らないで通って、ヘビがピョンと跳び上がったら「ウオーッ」って怒ってバシンと叩くんですよ。それも一頭一頭の性格が違うと思うけど、クマによっては声を出して叩いて。一回叩いただけでヘビは潰れて死んでいるのに、それだけでは気が済まないからバシバシ叩いて潰してあるんですよ。食うためではないから。とにかくクマはヘビが怖い。そういうのを人が見て、クマはヘビを怖がるからそういう長いものを持って歩いてクマと出会ったときの対策に使ったりもしますよ。

――タラ（背負い縄）を投げつけるというのはよく聞きますよね。

タラを投げつけるのも生きたヘビを投げたような形になるから彼らは嫌うんだと思います。登別《のぼりべつ》のクマ牧場の中でもそういう実験をしたことがあって、クマは跳び上がって逃げますからね。あとは特にそんなに嫌うものはないと思います。

走るスピードは六〇キロ

――話はちょっと飛ぶんですけども、クマというのは意外と動きが速い。走るのも速いと言われるんですが、具体的に時速何キロくらいなんでしょうか。

クマが車について走ったことがあったので時速がわかったんです。昔、千歳《ちとせ》の支笏湖《しこつこ》間に七、八キロの直線の林道がありました。そこで造材作業をやっていたトラックが山に入っていったときのことです。林道の中に子グマが出て遊んでいたのを見て、そのトラックの運転手は子グマがいたっていう気持ちで安心して接近して行ったそうです。

そのときは、車に乗ったまま接近して行ったんですが、その横に親グマが潜んでいたのに運転手は気が付かないで、子グマの方へ向かって走って行ったんだそうです。そしたら、親グマが我が子をかばうために「ファゥ、ファゥ」って。彼らの吐く息なんですよね。「ファゥ、ファゥ」っていうのは。息と同時に声を出すから。人間でいうと掛け声みたいな調子で出るんですよ。それはクマが興奮して怒っていることにもなるんだけど、そうやって親グマが出てきたから、運転手は子グマどころではない。自分の横についている親グマの方が心配だからガーッとトラックをとばしたんです。その林道は火山《か ざん》礫《れき》だけの道で、舗装道路のようないい道なんですよ。だから車も相当スピードを上げて走ったのに、ちらっと横を見たときにまだ親グマが横にいたって。そのときに運転手がメーターを見たらすでに六〇キロで走っていたって言います。それくらいで走っていたのにまだクマが横にくっついて走っていたって。それで平坦なところではクマは六〇キロくらいのスピードが出るってわかったんです。

──山の中での動作のスピードはどうですか。

山の中で走るときも相当な速さです。走っても速い動物には見えないんですよ。後ろから見ると丸みを帯びたような形で、真後ろから見ると少し斜めになって走る動物だからそんなに速いとは思えないのに、彼らの瞬間的なスピードは、シカ以上です。

私がクマに襲われたときに感心したことは、鉄砲撃ちでも鉄砲を撃とうとする心を失って撃つ勇気もなくなる、その身のこなしの速さです。

――瞬間的にはシカ以上にスピードが出るわけですか。

はい。クマがシカを襲うときには、むろん待ち伏せはするんだろうけど、飛びつかれたシカは逃げられないと思うね。

――待ち伏せもかけるけれど、とにかく動きが速いんですね。

待ち伏せをかけて瞬間に飛びつくにしたって、シカを上回っていないと、まあ爪が掛かるから倒せるんだろうけど、瞬間の飛びつきの速さというのはシカに勝るものだと思います。

――そして走る速さもトラックの運転手が確認したように六〇キロは出るわけですね。

雪の上でも六〇キロは出ます。昔、私をサユシ岳というところに案内してくれたおじいさんが子連れグマを獲ったときの話で、雪庇《せっぴ》みたいに雪だまりのかぶさりの上の方に猟師のおじいさんがいたんです。その下の方にいたクマが、一〇〇メートルくらいの距離があるところをふっ飛んで来て、撃つ余裕がないくらい速かったって。

その人は村田銃で板に一つある節穴《ふしあな》に二回も通すほどの鉄砲名人だったのに、その人が撃つ余裕がないくらいの速さでクマが飛んで来たって。だからその人だったら落ち着いて撃てる人だから眉間《みけん》を撃てばまず倒れるはずなんだけど、急所は逸れてしまったそうです。

そのときは子連れの親グマで、撃たれても、子グマのいるところに引き返して木に登ったと言います。この木に登るということは彼らの力が相当奪われたという証拠なんです。

個性と習性の区別

——このあいだ兵庫の『東中国クマ集会』に行って、クマに会ったときにどんな対処法があるのか尋《たず》ねたんです。そうしたら、「クマというのは大型哺乳動物で頭もいい動物だと思うから、それだけに育ち方、環境などで一頭一頭に個性がある。そういう違いがあるクマに対して対処法としてこうしろということは言えない」ということでした。姉崎さんはどう思いますか。

うーん、やっぱり一頭一頭の個性はありますよ。個性のひらきはきっとうんとあると思うんです。アイヌで言うペウレプといって今年生まれた当歳仔、親を獲るとその子は殺さないで、捕って来て養って育ててからクマ祭り（イヨマンテ）をやるのがアイヌの習慣としてあるでしょう。そのとき一度に三頭の子を育てたことがあるんです。そうしたら、三頭それぞれ個性が違いましたね。やっぱり、クマは一頭ずつ個性はかなり違うんではないかと思います。

——それで私の質問に答えた人はクマにあったらどうするかといっても、一頭一頭個性があるから、ある決まった対処法はないと言うんです。それはどうですか。

私が言うのは習性に合わせた対処法ですからね。その動物の習性にはそんなに差がないと思います。だから動物の習性としては差がないから対処法としては共通しているんです。その個性というのと習性とは別ではないかと私は思うけど。

――個性と習性は切り離して考えなければいけないということですね。習性というものはもっとクマ全体に共通したものであると。

そう。習性というのはクマにほぼ共通しているからね。

第四章　アイヌ民族とクマ

アイヌの人びとは、ヒグマをキムンカムイ（山の神）として敬ってきた。そしてアイヌ民族の伝承では、ヒグマを狩猟することは「神さまを家に招待すること」だという。しかし、猟師の立場からすれば、クマは少しでも油断すれば襲われて殺されてしまう恐ろしい相手である。「招待する」などというきれいごとを本当は言えないのではないだろうか。ヒグマ猟は、いわば殺すか殺されるかという命がけの闘いではないのか？

山で強大なヒグマに立ち向かうときの猟師の本当の気持ちはどうなのだろうか。姉崎さんは、アイヌ民族としてどのような気持ちで猟をしに山に入って行ったのだろうか。そして、アイヌの狩人は、ヒグマばかりでなくカラスやキツネ、フクロウなど山の生きものたちとどのような関係を築いてきたのだろうか。

狩り小屋で火の神に

――クマ猟に行くとき、家を出るとき、山へ入るとき、それぞれ何か儀礼的なことをすることはありますか。

家の中であんまりそういうことはしません。私は飲まないけど一、二合くらいのお酒だけは必ず持って山へ行きました。そして、アイヌ語だけでなくてもいいからアペフチカムイ（火の神様）に祈って。

――場所はどこで祈るんですか。

山に着いてクチャ（狩り小屋）を作って、段取りが済んでから、まず火を焚いて火に魂を込めて、これからここでお世話になって宿をして猟を始めるので、エプンキネ（守って）くださいという意味を含めた祈りをします。必ず。そのためにも飲まない酒を一、二合くらい持っていきます。そして後の残りをヌプリコロカムイ（山の神様）に。ヌプリコロカムイよりアペフチカムイの方が上ですから。だからアペフチカムイに頼んでそれから後にヌプリコロカムイに、これからそういうことでエキムネ（狩りのため山入りする）に入るのでエプンキネしてくださいって。猟をさせてくださいっていう気持ちもあるけど、やっぱり無事にやらせてくださいって祈るのが多いですね。

――そのときの手順としては、火を焚いてからその後は何をしますか。

容器は飯盒《はんごう》の中蓋でも何でもいい。そのときの容器の蓋に入れてイクパスイ（捧酒箸）でやります。イクパスイでなくてもイペパスイ（食事用の箸）でもいいんです。そして、トノトチッカ（酒を火にしたたらせる）するんです。そして自分の言葉を捧げます。それは別にアイヌ語でなくてもいいんですよ。「これから一週間なら一週間、一〇日なら一〇日お世話になりますがアペフチカムイ守ってください」と。そのあとキムンカムイ（クマ）の方にもヌプリコロカムイにもお酒をあげて「ここの山にずっと猟に入っているので無事にやらせてください」って。それをやれば自分の心だけは整理がつくんですよ。

——ヌプリコロカムイにも自分の身の安全をお願いしますということを言うんですか、それとも猟運をお願いしますということを言うんですか。

猟運も含めているね。

——安全も。

むろん安全も含めて。そしてこういうことでこの山に入っているから猟運も自分の安全もアペフチカムイにもヌプリコロカムイにもお願いするんです。ヌプリコロカムイにはそこの山に世話になって、踏み荒らすことになるので、そういう気持ちを言っておきなさいという昔の人の話が伝わっている。私の父親は全く仏教だから、何かあったら南無阿弥陀仏と念仏を唱えなさいって。だけど私は育った環境が違うから。

——姉崎さんはアイヌの集落で育ったから。

そうそう。

——それでアイヌプリ（アイヌの習慣）でそういうときもやっていたわけですね。

そう。ほとんどね。

——それでクチャの中でお酒をチッカ（火にたらす）しながらカムイノミ（礼拝）を短くてもやった。それで実際にクマを獲ったときもやっぱりお酒を使ったんですか。

酒は使わないです。猟をするときには持って歩かないから。

アイヌの古い形の猟

——単独で猟をする姉崎さん方式というのは非常に珍しい形だと思うんですけど。

私だけだと思います。

——だいたいアイヌの人たちの古い猟の仕方では何人くらいで山に入ったものなんですか。

だいたい二人か三人だね。

——気心の知れた人とか兄弟とか。

そうそう。気心の知れた人たちで。

——その場合は、やはり勢子《せこ》側にまわる人と待ち側とに分れてやったんですか。

それはないと思います。

――だけど一頭のクマを見つけたらみんなで追い込んでいくわけでしょう。

一頭のクマをみんなで追うということはあんまりないと思います。

――たとえばクチャ（狩り小屋）に三人で泊まるでしょう、それで翌朝になると、そこからクチャをベースにしてみんな別々なところに行ってしまうんですか。

別々です。

――それぞれ単独でやっているわけですか。

単独だと思う。昔のアイヌの人たちの猟というのはみんなそれぞれ獲ったものはその人の権利だったんです。手伝ったりはするんですが、獲った者の権利は各々なんですよ。

――各々というのは撃ちとった人のものということですか。

はい。撃ちとった人のものになるんです。

――それ以外の人の分け前は。

分け前はもらえないです。ところが私たちの時代の猟になると、五人なり六人で山に入って一つの猟グループとして共同なんですよ。そうすると分け前も平等に分けていました。でも昔は、各々獲った人の権利だった。そういう習慣らしかったですね。

カラスとアイヌ民族の助け合い

――山に入ってカラスが騒ぐと、クマとかシカがいると言われていますが。

カラスが騒ぐと、クマがいるとか、獲物がいるという見方は、アイヌ民族が考えたことなんです。もともと猟をやっているから気がついたんだろうね。

――獲物をとったあと、カラスにどんなものを残すのですか。

肺臓とかその他の人間が食べられないところがありますね。それらをカラスに平均に当たるように細かく刻んでおいて、そこらの木の枝に一切れ一切れ刺しておくんですよ。

――それは姉崎さんの先輩の人たちから聞いたんですか、それとも自然に覚えたんですか。

それは話で聞いていました。カラスにおこぼれを与えることで、カラスも喜んで教えてくれるんだ、と。鉄砲撃ちが鉄砲を出していると、カラスは来ないのが普通なんですよ。ところがクマ猟に行くときは、カラスに銃を向けることは絶対にしないから、クマ猟のハンターが弁当を出して食べているとカラスは鳴いて欲しがる。鳴いていると少しおこぼれを置いておく。するとカラスが後をついて歩くようになるんですよ。

カラスは利口な鳥だから。そういうことでカラスに今度、クマを教えてもらって獲ったっていうハンターもたくさんいるんですよ。カラスは夏中ずっと、冬になるまで山にいるから、どのクマが来て、どこに穴籠りをするか知っているんです。クマは一度にさっと穴に隠れちゃうわけじゃないから、穴を掘るのに暇をかける。十日以上も暇がかかるから、カラスはそれを見てちゃんと覚えているわけですよ。そうすると、この近くにクマが隠れているって鳴くんです。

たとえば、妊娠グマが入った場合だったら、あの山、カラスが鳴いているなってハンターが聞きつけるんですよ。そうすると妊娠しているクマだから、子を持っているので穴から出るのは春遅いけど、それでも見つかるんですよ。確実にいることをカラスに教えてもらっているからね。だからカラスと人間の関係がすごく良くなって、カラスを粗末にしないし、餌をとるとそれを分け与えてやる。カラスもそれがわかっていて、あそこに動物がいるから、その場所を覚えていて、人に教えてやれば分け前をもらえるんだって思う。知らず知らずのうちにそういう関係が生まれてきたんだと私は思っています。

山ガラスというのは、町にいるカラスとは違うんですよ。町ガラスは人にばっかり頼って暮らすけど、山ガラスは人に頼らないで山の中で虫を捕ったり自然の中で生活しているから多少違うと思います。ハンターがクマを獲ると肺臓だけは残します。肺臓といってもかなり大きいから、必ずカラスが食べやすいように細かく切って木の枝にていねいに刺しておく。するとそれぞれのカラスに一口ずつでも当たるようになる。クマのハンターが歩いたあとには恩恵が残るんだということが習慣的になっているのでカラスが鳴くんだと思います。どんなものがいてもその上ではカラスが騒ぐようになります。

——シカでもクマでもですか。

はい。シカでもクマでも同じです。私たちはカラスが鳴かない山に行ったら、「この山は不作な山だなあ」って精神的にがっかりします。人間が山の動物におすそ分けを与えるんだっていっても肉を与えることはないんですから。人間が食べられるところをカラスに与えることはないけど、それでもカラスの中の力のあるカラスだけが奪い取ってしまわないように、みんなに当たるようにという気持ちがあるから細かく刻むんです。そういうことでカラスも人間が大事にしてくれているんだなということがわかる。

しかし、町ガラスというのはカラス駆除をしているので、駆除の車が行くとその車を覚えていてすぐに逃げてしまうんです。けれども山のカラスはクマ撃ちのハンターを絶対に見間違わない。やっぱりハンターもカラスからの恩恵があるからカラスを殺さないんですよ。銃を向けることもないんですよ。そうすると普通、鉄砲を背負っている人のそばをカラスが飛んで来ることはあり得ないんだけど、クマのハンターが歩くときに限ってはそばについて歩くんですよ。

私もずいぶんそばについて歩かれたことがありますが、ついて歩かれることによって一人で歩くより、まあイヌもいますが、なんとなく気強くなりますよね。カラスが味方になってくれてクマがどこかにいたら教えてくれるだろうって思うから。

――それでやっぱりどこかに獲物がいれば鳴きますか。

どこかにいれば、カラスというのは空を飛び歩いているので、かなり遠くまで行っても旋回して鳴いているから「あそこに何かいるぞ」とわかるんですよ。その動作を見て、だいたいその下にクマなりシカがいる。

カラスの葬式

――シカがいる場合とクマがいる場合とで鳴き方はちょっと違うんですか。

それはあんまり違わないですね。それでも彼らが鳴いて仲間を呼ぶときは違いますよ。たとえばシカでもクマでもハンターが倒すと、山の中に一羽か二羽しか見えないカラスが上の方でガーガーガーガーって鳴く声も違う。「おい、ここに獲物があるから来いよ」って叫ぶように鳴く。そうなったら知らないところからガーガーガーっていつの間にかどっさり来るんですよ。彼らはそういう集団生活をする習性があるんだなと思う。

これはこの言葉が当てはまるか、当てはまらないかよくわからないけど、私は「カラスの葬式」というのを見たことがあります。私は私なりの判断で、カラスがお葬式をしたんだなと思っているんです。何かで死んだカラスを大勢で囲んでガーガーガーガーってそばに降りて来て、それが大勢のカラスがくり返しガーガーガーってやって。

――近寄っては離れ、近寄っては離れしているんですか。

そう。あれがやっぱりカラスの別れ方かなあと、私はそういう不思議なことを見ています。

――別れを言いに来ていると。

　カラスというやつは自分たちの仲間を容易に見捨てては行かないんです。私はもっと田舎にいたときに畑を作っていたんですけど、トウモロコシなんかを作って芽が出るとカラスがほじくってしまうんですよ。そんな芽を食われたら大変だから、私は鉄砲撃ちなのでバンバン撃つんですよ。それも体を出して外で撃つのではなく家の中から撃つ。しかもその時期のカラスは雛が大きくなって飛べるようになったのを親が連れてくる。雛の方はまだものを知らないから、撃ち落としやすいんですよ。一羽撃って落ちてばたばたしていると次のカラス次のカラスと全部来て、なんとか仲間を助けようという仲間意識があるんです。そうやって来るから撃つ方は何羽でも落とせるんですよね。そういうことを見ているからカラスというものは集団で助け合うという気持ちがあるんだなあと思う。だから自分が餌を見つけたからといって自分一人で食うということなく、仲間を呼んでみんなでそれぞれ助け合って食っているという、そういう習性があると思います。

　十勝の方へ鹿猟に行っている人たちは、「おっ、あの山、カラスが鳴いているぞ。シカがきっといるぞ」って。この声はみんながあげるからみんな同じことを考えていると思います。

――ウエペケレ（昔話）などで、アイヌ（人間）というものはカラスやキツネに山で獲物の一部を分けて置いておくものだっていう良い精神の在り方を説いたものだと思っていたのですが、そうではなくてカラスも人間から恩恵を受けて人間もカラスから恩恵を受けているという関係で回り合っているんですね。

恩恵を受けているという気持ちはカラスも人間も持っていると思います。

両極端なキツネの評価

――カラスだけではなくて、たとえばキツネにも置いておくようなことはあるんですか。

キツネにはあんまりしないです。キツネというやつはチロンヌプカムイ（キツネの神さま）っていってアイヌの人は特に嫌いますね。キツネとトゥスニンケ（リス）も。これは大体嫌いますね。

――キツネは地域によっては川魚の居場所を教えてくれるというので大事にしている所もありますが。

アイヌは恩恵があると何でも神につなげているんですよ。千歳の人たちがカムイノミ（礼拝）するといって集まって、あんたはどこそこの神様、その個所個所の神様に祈りをかけているのがあった。私はどうもそれが、半分承知できない部分があるんですよ。半分信仰するようなところはあるんだけど半分は疑いの方が多いですから。

水明《すいめい》っていう第五発電所のちょっと下の場所でアイヌの人がカムイノミする場所があるんです。なんでそこでカムイノミをするんだって聞いたことがあるんです。そうしたら支笏湖《しこつこ》で丸木舟を作って、道路のない時代なので舟で千歳川を下っていったと。まだ下った人がいないから川を知らなかったと思うんだけど、そこに大きな滝があるんですよ。

当時二〇～三〇メートル以上の滝だったと思うんです。その滝があるのを知らないで舟で下っていって滝の目前に来てから初めて滝だというのがわかって、そこら辺の竹なり木なりの枝にしがみついて、舟は落としたけれども人間は助かったということがありました。それでそこには何それの神様がいるからそこでカムイノミするんだって言うんです。だからなんでもありがたいことがあったら全部神様の力にしているんですよ。

でも私はやっぱり頼るのは自分の力なんだと。どんな場合でも自分で切り抜けないといけないと思っています。

――地域によってはキツネを大事にとらえるところはありますよね。

あります。

――それは川漁をするところが多いみたいですけれど。季節によって魚が上がってきたことをキツネが鳴いて知らせてくれるから、さっきのカラスと同じようなことがあったのかなあと。

そうだと思います。地域によって。

――川漁をしないようなところは全然ありがたくないわけだから。

やっぱりキツネも恩恵があったら少しでも恩返しをするというのは常識だからね。それが習慣になって、ああ、こうやって知らせることによって自分たちで捕れない魚を人間が陸へ上げて置いていってくれたって、キツネの方でもそれが習慣になれば鳴くようになると思うんですよ。

魔性の鳥ケナシウナルペ

千歳でイソサンケチカプというのはフクロウなんだけど、そのフクロウの仲間で、ケナシウナルペ（魔性の鳥）という鳥は千歳ではすごく嫌うんです。ところが旭川のアイヌの人たちは猟に出るとき、滅多に獲れる鳥ではないのに、その鳥にちゃんとイナウコレ（御幣を与える）っていってちゃんとイナウ（御幣）を付けて、そして猟の神様として持って歩くんですよ。それは何かのことで向こうの人たちの先祖には恩恵があったんだろうと思うんですよ。千歳の蘭越《らんこし》の人たちは一切嫌います。

――それはどういう鳥ですか。

今は私たちがいくら山を歩いても見ることがない。私の若いときには見たことがあるけど。そうですね、せいぜい一〇センチくらいの手マリのような、尻尾のないネズミを水につけてさっと上げたようなだらしない、ボサッとした黒っぽい鳥なんですよ。尾羽根が全くないんですよ。そしてフクロウの一種ですから頭が丸くて目はコロッとした。

――どういうことで嫌うんですか。

災いですね。その山に泊まっているとその場所で寝かせてくれないんですよ、あんまりうるさくて。声も奇妙な声で。いろいろな音の響きを人に聞かせるような惑わしをする。たとえば二〇～三〇センチくらいの浅い川があるとすると、そこを三〇人も四〇人もで川を歩くとしたらジャボ、ジャボっていう音がするけど、そういう音がしたり、山の中の川の川下から人の来る音、ウォゥ、ウォゥって何十人も騒いで来て、わけのわからない奇声を上げて来て、そこへ川を歩いた音がジャボ、ジャボと、その音が混じり合ってくるんですよ。そしたら気持ち悪いんですよ。そりゃ。そういう川を歩く音と人の騒ぎ声と同時に聞こえるんですよ。一羽でそういう音を出すんです。

――それで魔物と思われているわけですね。

それだからケナシウナルぺって誰も好きでないんですよ。若いときには見たことがあります。撃とうと思って何回も鉄砲を持ってそばへ行ったことがあるけど、撃ったら後始末に困るのでやっぱり気持ち悪くて撃たなかったです。

そしてアイヌの大人の人らというのはいろいろなアイヌ語の祈りを知っているでしょう。神に頼む言葉も知っているし、それなりにその祈りで収める言葉も知っているんだけど、その人たちでさえ泊まれないところがあるんです。風不死《ふっぷし》岳《だけ》のオオワンドの沢では泊まれないんですよ。あそこへ行ったらケナシウナルぺで寝れない。だからそういう山に慣れた大人の人が寝れないというくらい嫌うんですからやっぱり大変だと思います。

私は、ママチの奥で全部で七人くらいで山の中に泊まって仕事をしていたのですが、そこは最もクマの多くいるところだったけどクマよりケナシウナルペを恐れてました。クマなんか来たってそんなに騒がないから。

——こういうことが起こったらもう猟をやめて帰るということがありますか。

私たちにはそういうことはない。ただ、昔の人によると、春マタギというとだいたい四月で、まだ雪の上ですから蛇のようなものが出て歩くことはないんだけど、ヘビが雪の上に見つかることがあったんだそうです。

そしたらその年にはそのヘビを粗末にするのではなく、逆にイナウ（御幣）をつけてイナウコレ（御幣を与える）して大事に葬ってやる。するとすごい猟があると言うんですよ。そして昔の人たちが本当にそういうことをやって、やり抜いていろいろなことが本当であったから、やっぱりアイヌの言葉なり技はすごいんだなあと私は思うので一生懸命覚えようと思ったんです。

テンの死を逆手にとる

たとえば、あるおじいさんが狩りに行って帰って来たらテンがクチャ（狩り小屋）の中で死んでいたんです。すると、そのおじいさんは、ほっかぶりをして鼻みず垂らすくらい泣いた。芝居がかっていたと思うんだけど鼻みず垂らすくらいに泣いて、「アコロ

マチヒ　ライ　クス（私の妻が死んだので）」とか言った。そのテンを自分の奥さんにみたてて、毎朝の食事のたびにお膳を据えたと。大事に、上座に置いて。

そしてその人が、他の人は獲れなかったけど、その春に七頭、クマを獲った。すごい大猟したんだって。そして帰るときに、そのアコロ　マチヒ（自分の妻）を大事に持って帰るかっていったらそうじゃないんですよ。

ヘマンタ　ウエンカムイ（どこの悪い神様）だか知らないけど自分に災いをもたらしたんだって、今度は悪口になる。焚き火を焚いて、三尺くらい柔らかい土を掘って、そのテンは、マチヒであったものが、いっぺんにウエンカムイになって、逆さまに吊るすように埋められて。そうやって整理してきたって。

――けれどもその場合は災いというより豊猟をもたらしてくれたわけでしょう。どうして災いをもたらしたことになるんですか。

そう、でも、扱い方でもって豊猟にしただけなんです。もの知りだから豊猟になった。もし逆にもの知りでなかったらその人の命取りにもなったわけです。

ウェニタク（呪いの言葉）

アイヌのやってきたことを私は全部、うそと言えないこともあるんだけど、何か迷信的なこともたくさんあるんですよ。たとえばウェニタク（呪いの言葉）というのがあるでしょう。クマの足跡を見てオンカミ（礼拝）して足止めをかけると、クマがそこら辺でよたよたしていると言われる。そういう技を呪文でするんだっていうのを聞いたことあるけど、いま科学的に考えてみると、アリなんかが空から降ることがあるでしょう。ずっと向こうの方の広い砂漠で竜巻が起こったらアリが何千メートルか巻き上げられてジェット気流に乗って来たものがたまに降ることあるでしょう。そういうときにでも昔のウェニタクを知っている人たちは祈る。そうすると一つのことをやっていても長いあいだ祈っていればいつか、たとえば雨が降っていたってやむんだから。そういうことを考えたときに「迷信的なものもずいぶん信仰していたんだなあ」って思われるんですよ。

――ぜんぶがぜんぶ真に受けるということは姉崎さんの場合はない。

真に受けないです。アキアジ（サケ）は昔から千歳にのぼっていたんですよ。千歳川の孵化《ふか》場の下、ルウェンていう場所があるんだけど、そこがアキアジの集まる場所なんですよ。そこにいたアイヌのおやじさんはウェニタクの達者な人だってみんなが怖がっていた。私は軍隊から帰ってきて、そこにしか魚がいないのでそこへ魚捕りに行くほかないんです。丸木舟に乗って、おばあさんに船頭をさせて私が行ったら、そのおばあさんはアイヌのおばあさんだから、「あんちゃん、やめよう。あそこに行ったらあのおやじ、ウェニタク覚えているからやめよう」って言う。だけど、私は「そんなもの関係ない」って。「ウェニタクは何を覚えているか知らないけど、くそくらえだ、ウェニタクはいい言葉ではないんだから何も関係ない関係ない」って。やっぱり、そのおやじさんは、そこに住んでいると自分の漁場のような気になっているんです。私だけなんですよ、きかん坊で知らん顔して魚を捕りに行くのは。「また、誰か来たな」って言ってそのおやじさんが出てきた。そして、私とそこのアキアジを捕ることを競走でやるのさ。だけど私は鉄砲だけでなく魚捕りも達者だから。魚の心を読めなかったら魚は捕れないんだから。

丸木舟に乗って川から追い下がると、魚は追われるとちゃんと下へ下がる。舟を横にしておいて、川幅を使うようにして追って下がると、開いた方の川岸に魚は全部頭を突っ込んで休むのさ。そこを私はどんどん捕る。腕が違う、考え方が違うから魚捕りだったら私の方が上なんだよね。そうすると、そのおやじさんは、パシロタ（怒る）しながらあがって行ってしまったんだ。するとおばあさんは気にして「祈りをおぼえているから祈られるんでないか」って。「そったらもん関係ない」って。まったく関係なかったですよ。だからある程度あれは、迷信。精神的にただ惑わすものだと私は思っているんです。

イペサク（つきのない人）

——それからイペサクといって、その人が行ったら何をやってもうまくいかない。「不漁になる人」っていますか。

います。それは人によって。チェプコイキ（魚捕り）っていって魚を捕りに出るといるんですよ、そういう人が。そして魚を捕りに行くときは丸木舟だから、頭に乗る人は突き役でしょう。後ろの人は船頭役でしょう。その船頭役によって魚の逃げ足が速いんですよ。イペサクはいますね。はっきり。

イタチ捕りはイタチになれ

――山猟でこの人が行くと猟運に恵まれないというツキの悪い人はいますか。

やっぱりいると思います、山の猟でも。それも、いかに獲物の気持ちをその人が知っているか知らないかということだと思います。だからイタチを捕るときはイタチになりなさいって。皮屋さんに私が小さいときに言われたことがあります。あんたクマを獲るんだったらクマになりなさい。イセポ コイキ（ウサギ猟）のときはイセポ（ウサギ）にならなかったらそんなもの捕れないんだって。なるほどと思った。私はイタチ捕りはずいぶん長いことやっているので、イタチ捕りでは人に負けないんですよ。私がイタチだったらこんなところは歩かないでここを歩く、などとイタチになって地形を考えると考え方が変わるでしょう。そういうことだと思います。私はイタチ捕りの名人と言われるくらいイタチは数多く捕ったんです。

イタチは湿地帯を好んで歩く動物です。イタチというのは水潜りはできません。けれど湿地帯というのはネズミが数多く歩いているところなんです。そのためにイタチが寄りやすい。そして、ここはイタチの通る場所だなあと思う。たとえば、一つの根株がありますよね。この木の根というのはネズミが入りやすいのでイタチはそういうところをのぞいて歩く。そこに竹筒の仕掛け罠《わな》を置くんです。

――イタチはネズミを狙うから。

はい。餌は魚を置きます。ここはどのイタチでも来るなという狭い場所に、私はそのまわりに四本の竹筒を置いたことがあります。私だけですよ。そういう変わったことをするのは。普通は五〇メートル、六〇メートルと距離を離した個所に点々と罠を置くんですよ。

ところが一カ所に四本の竹筒罠をまとめて私が置いたというのは、この地形はイタチの通り道だと思うからです。一匹かかって死んでいれば他のものは知らん顔して通って歩くけど、それじゃもったいないから四本置いてみようと思って置いたことがあるんですよ。そして四つともかかっていれば私はイタチの知恵に勝つ。知恵比べですよね。そしたら四つすべてにかかっていたんですよ。

――一メートルくらいの範囲に。

いや、一メートルもないいんですよ。直径一メートル以内の根株のまわりに置いたんです。それのすべてにかかって。そういうことのできるできないが猟運のあるなしに恐らくつながるんだと思います。

フクロウの鳴き声を聞き分ける

――よくフクロウがクマの居場所を教えてくれるという話がありますよね。それは本当なんですか。

一般にフクロウといってもクマの居場所を教えてくれるというのは、シマフクロウで、イソサンケチカプ（獲物を出す鳥）って言うんですよ。定山渓《じょうざんけい》の山に行ったときに、やっぱりシマフクロウが鳴いて、そのとき私の聞いた方向は間違っていて、兄貴のじいさんが聞いた方向が合っていて、そこへ行ったじいさんが親子グマを獲ったんです。アイヌでいうクマのいる場所を教えてくれるという鳥の鳴き方というのはこういうふうにアイヌ語で鳴きます。

ぺウレプ　チコイキプ　ウヘウェ！

ぺウレプ　チコイキプ　ウヘウェ！

ぺウレプっていうのは子グマのこと。チコイキプというのは、獲物。ウヘウェというのは鳴き声。ぺウレプ　チコイキプ　ウヘウェ、そういうふうに鳴くところはクマが必ずいる山だとアイヌは信じているんですよ。私らもそれを聞いているだけに、同じくやっぱり信じていて、その声がすると鳴いた方向はどっちだ、こっちだって兄貴と言い合いしたけど、寝ぼけた聞き方だから私らは方角を間違えたんですね。私は私が聞いたと思った場所へ行きたいし、兄貴は兄貴の方へ行きたいと思うけど。そしたらそのとき一緒にいた兄貴のじいさんが行った方向が正解だったんです。

——だいたい何時頃でしたか。

だいたい夜中過ぎて、明け方に鳴きますね。

昔は山でホプニレ（魂送り）

——クマを獲ったときは山で解体して、そこでホプニレ（魂送り）をするんですか。

いや、しないです。昔の人たちはそうしていたんですが、私たちの時代には車という便利なものがあって、交通の便もよくなってほとんどの山でも日帰りができた。昔の人が日帰りできないところを私たちは日帰りの猟をしていたから。だから昔の人たちが猟をした、たとえばシラッチセ（岩屋）、これは社台《しゃたい》の奥にもあるんですけど、そういうところにはたくさんホプニレした跡がありましたね。恵庭《えにわ》の奥でも。その場所の東向きのいいような場所へカムイマラプト（クマの頭）をちゃんと置いて。それにイナウ（御幣）を付けて。

——解体するときにちょっとしたことを何かやるんですか。それとも獲ったクマを解体するときには、全くなにもしないんですか。

私たちのときでは、年寄りが言うのには、獲ったクマの、エプンキネイナウ（守っておく御幣）を作っておきなさいって。それはどういうイナウかというと別にたくさんのイナウキケ（削りかけ）を付けたイナウでなくてもいいから、チトクパイナウ（削り目を入れた御幣）といって削るだけのものを立てて、エプンキネ（守る）しておきなさいという。それを立てておいてから人を迎えにいくように。留守にするあいだはそうしなさいということは言われていたことがありますけど。

――解体するときに塩を使って何か言うとかは。

塩を使うとかそういうのはありません。

――たとえばカムイ（神）に対してこれから解体しますとか何か一言はあるんですか。

オンカミ（礼拝）だけです。オンカミするとき、言葉でやっぱりイヤイライケレ（ありがとう）って。そしてこれからカムイの解体に入るからという、気持ちと。そんなに昔ほど厳格なものではなかったですからね。私たちの時代になってからは。

クマの送り儀礼

――それで山を下りて帰って来てクマを下ろしてカムイホプニレ（神の魂送り）をしたわけですね。

はい。私はクマのマラプトカル（頭の飾り）っていうのを、小さい頃から獣を扱っていただけにできるんですよ。できるからどこかにホプニレがあって遊びに行くと「等《ひとし》、それ作れ」って言われて。わからないところがあると、そこをこうやってああやってって言うから、そのうちに全部覚えてしまった。だけど昔は鼻のだいぶ奥から毛皮を残して皮を剝いだんですよ。そして耳も毛皮を残して。それが時代が変わったというのは、シャモ（和人）のあいだに商品として出るようになったら鼻に文句がつくようになった。耳がない、鼻がないとその分安くなる。それならっていうことで鼻を付けるようになったんです。それでもアイヌの習慣がもう少し強いときは鼻を付けてカムイ ホプニレした後で皮を剝いで、鼻を縫い付けて出したんですよ。

――そこまでしてでもきちっとした儀式をしたかったんですね。

したかったんですね。習慣として長年やってきたから。それらは私が手伝いしているからわかっているんです。

――じゃあ儀式も一通りのことはきちっと身に付けたわけですね。

すべてのことを手伝ったので、全部一通り知ってはいるんですよ。

――クマを解体した後、頭骨の飾り方というのは一応みんなできるわけですね。

みんなできる。脳を出してイナウキケ（削りかけ）で飾る。そしてパルンペ（舌）は全部笹で作る。イナウ（御幣）を付けた笹でパルンペを作るんです。そういうことはある程度できるし、当時は言葉も今よりはずっと知っていたんですよ。

ホプニレの祈り言葉

――どういう祈り言葉を言いましたか。

簡単に、それでも通るんだよって。「タネ アナクネ シサム プリ ユプケノ アンコロカアイヌ ネ ヤッカ（いまは和人の習慣が主になってアイヌであっても）アイヌプリ（アイヌの習慣）もできないけれども、私にはアチャポ（おじさん）がいるしエカシ（おじいさん）がいる。私のイクパスイ（捧酒箸）は、パスイ パウェトク（雄弁な箸）だから私に代行して心を伝えてください」って言うんですよ。そのためにパスイというものには、パスイ パロホ（箸の口）を作ってあるんです。口も切ってある。それでもって私の心を代行してください。今はアイヌプリ（アイヌの習慣）は相当薄くなったけれど代行して心を伝えてくださいって。

クマ肉の分配

――そうやってカムイホプニレ（神の魂送り）をして、その後近所の人たちに肉なんかを配りましたか。

私たちの時代にはカムイホプニレするから遊びに来てと言って呼んだんですよ。呼んでも来ない人は来なくてもいいんです。呼ばれてわかった人たち、心のある人たちは来ればいい。来る人は拒まないと。人にあげられるというのはせいぜい肉くらいだから、みんなが肉を喜んでもらう。おめでとう、ってたいてい酒を一升持ってくるんですよ。ところが一升持ってきて三升も飲んで帰る人がたくさんいるから、私は飲まないんです。それで足りないときは買うんですよ。そして、動物には頭骨とつながる第一関節がありますよね。この関節が猟の神となるので、宝物としてくじ引きでそれを引くんです。それにちゃんとイナウ（御幣）を付けて。昔はイナウの紐で引っ張ったんだけど我々の時代になってからはただの紐を付けたんです。そして、関節の骨だけだと粗末になりやすいので、一緒に煮るときにだしになるように肉をけっこう付けたんです。それを引く人はみんな鉄砲撃ちなんですよ。猟運を引くわけですから。それを一つの楽しみとしてやっていました。当たった人は大喜びで。今度は俺がクマを獲るんだって。

——外れは何もついていないのですか。

たとえば五人いたら四本空くじを作って引くんです。それでも、みんな、よし俺が引くぞって楽しみでしたよ。酒も入っているしね。

歌と踊り

——そういうときには歌とか踊りはしたのですか。

ホリッパ（踊り）をします。女も男も。

――男はタプカラ（男の舞踏）などをしましたか。

エムシ（刀）はないけどホーって言って、手だけで、またはイクパスイ（棒酒箸）でも何でも持ってやっていました。私はそういう古いことが好きだったので村中の人を呼んだんですよ。使いをやって呼びました。来られる人は来てくださいって。そうすると付き合いのあるなしに関係なく呼ばれるから喜んでみんな来るんです。そのとき、蘭越にいた年寄りには、アイヌの見本だっていうような人たちがたくさんいたから、パキサラ（口の周りの入れ墨）している女の人たちとか。

――何人くらいいましたか。パキサラしている人は。

七、八人いました。

――若い人も。

いや若い人はいない。私の母親もパキサラをしていました。それを好んでやったたって言うんですよ、私の母親は。同じ年代でも全然しない人もいるんです。ちょっと入れ墨をして痛くて途中でやめた人たちもたくさんいたんです。私の母は好んでやって立派なパキサラをしていたんですよ。

――そして宴をして、そのときにはカムイユーカラ（神謡）などもしたんですか。

できた人はいました。

――ウエペケレ（昔話）とかは。

ウエペケレもしました。パキサラをしたようなおばあさんたちがいたときには、まだまだけっこうできる人がいました。誰か年寄りが来て泊まると昔はウエペケレをするでしょう。そうするとそれを黙って聞いていると私も多少の意味はわかるんですよ。ところが長いこと聞かないでいると全部忘れてしまうんですよ。

ユーカラ

――ユーカラ（英雄叙事詩）をやる男の人はいませんでしたか。

いました。

――カムイホプニレ（神の魂送り）のときにユーカラをやるような人がいたんですか。

いました。ちゃんとこうやってレプニ（叩き棒）で叩くくらいは私もできるんですよ。

――みんなで叩くと盛り上がったでしょう。

そうそう、だから私の家でやったのは盛大だったですよ。そして私の家は、兵隊に行く前に家を建てて行った話をしましたが、昔の家はいくら大きいといったって三間に五間だから十五坪くらいの家が当時としては大きい家なんです。それにあとから玄関をつけた一七、一八坪くらいの家なんです。それでも、その時代の家はよかったんです。だけど昭和二四年に火事になったんです。火事で丸焼けしました。私は器用な人間で大工もできるので全部自分で設計して切り込みをやって、また自分で家を建てました。他人の家も建てたことがあります。

――手伝いを使ってですか。

一人で。一カ月かかりました。焼けた後は人を頼む力がないから。木も伐ってきた。土台石というものを使うのだけど、コンクリを取り寄せるお金がないから、木の根を持ってきて土台にするんです。そうして何年かすると木の根が腐るとまた自分で入れ直して。クマを獲るたびにクマ祭りをするのでみんなが帰って家の中を歩くとガタガタして。そういう家だったんですよ。でもおもしろかったです。

――家に神窓も作ったんですか。

東窓が神窓になるんですよ。マラプト（クマの頭）や肉の出し入れはそこからしました。そして外にはイナウチパ（祭壇）もちゃんとありました。

――そうすると姉崎さんの家の外にはクマの頭骨がイナウチパにいっぱい重なるようにあったんですか。

あったけど年数がたつにつれて、欲しいという人にはやったから、ずっと置いてはいませんでした。だからイナウチパもあったし、イナウ（御幣）も専門家のおじいさんが作ってくれたから本式でした。当時、町から来て写真を撮らせてくれって撮っていた人もたくさんいましたよ。

災いをなくすために

髭もぐーっと伸ばした男の人がたくさんいてサパンペ（冠）を頭に乗っけて、クマ送りがあると、模様の付いたゴザを敷きました。お祝い事のときには模様の付いたゴザを敷いてやるからね。われわれ子どものときでも勇ましいといえば勇ましい、おっかないといえばおっかないというくらい盛大なものであったから。蘭越の鉄砲撃ちの若い衆の中では、私がアイヌの方式で一番最後までクマ送りをやってきたと思う。私の家内の親戚でアイヌの儀式に達者な人がいて、クマを獲ってきてその人に任せておくと全部やってくれるので、私はその人に「獲って来たら頼むよ」って言うとお金を払わなくても全部やってくれていました。そういうことをやることによって災いはないと思うんですよ。

たとえばシャモ（和人）同士に、イタコおろしとか、自分は神様だとかって言う人がたくさんいるでしょう。私はそういうことをあまり信じるほうではないんです。だけど「あんたのところの先祖は狩猟民族だから、あんたの家には魔ものの魂がさまよってうろうろしているから運が悪いんだ」とかって、こういうひっかけかたがあるでしょう。そういう災いをなくすためにも「私はハンターをやっているけど、きちっとやることはやっているんだ、ちゃんと葬っているんだ」って、家族じゅうに「私はハンターをやっていても生きものを粗末にはしていないよ」という一つの暗示にもなると思うんですよ。

家族のためにもクマ送りすることはいいと思いました。

悔いの残らない猟

私にモユク（エゾタヌキ）猟を教えてくれた人が、歳をとって歩けなくなって、山にも行かなくなってから、私はしょっちゅう迎えに行って連れてきて家へ泊めたんですよ。昔のアイヌの人というと酒を飲むイメージがあるんだけどそんなに飲む人ではなかったから。四合瓶のお酒を買ってきてあずけてやると、もうそれだけで十分喜んでいたから。昔お世話になったエカシ（おじいさん）だから私も恩返しのつもりで一生懸命面倒をみたんですよ。そうしたら何を言うかと思ったら、あるとき、これは独り言で言ったんですけど「こんなにお前に面倒を見てもらうんなら、あのとき三〇円しかやらなかったのが悔やまれる」って後悔しているんですよ。それは私にしてみればいい教訓になったんですよ。私もハンターだから。ハンターを終えたときに後で悔いるようなハンターになっては駄目だって。

——ということはそれ以降、猟の分け前は自分だけ多く取るようなことはしてはいけないという教訓ですか。

はい。人と一緒に猟に行ったら、付いてきて邪魔になるハンターもたくさんいましたよ。それでも一緒に仲間として山へ入ったときの分け前は、肉もお金も全部平等に分けました。その前の時代にはお前は素人だからって。若い衆でしょう、どうせ素人というのは。「お前は若い者だからうんと背負え、うんと背負え。力があるんだからうんと背負え」。荷物はでっかく背負わせて、持ち運びには便利に使われるけどお前は素人だからって肉のかけらしかくれない。これはアイヌだけでなく和人のあいだでも同じ。鹿猟のときもそうです。

隣にまで分け与える精神

――よくアイヌの人たちというのは相互扶助じゃないけれどもお互いに、ある人が獲物をうんと獲ったら隣に分けてあげられるくらいいっぱい猟ができたというのを一つの誇りにしたんじゃないでしょうか。

ウエペケレ（昔話）にはいい話を残すんですよ。

――だけどそれは一つの教訓になるわけですよね、ウエペケレというのは。単なるお話で終わらせるのではなくてそれを聞いて後の人たちは「ああ、やっぱりこういうふうに生きるのが本当だなあ」と。

ウエペケレにありますよ。カムイチコイキプ　ユクチコイキプ　エアウナルラ（クマでもシカでも獲って家にもってきて）って言ってね。

――どういう意味ですかエアウナルラって。

運んできて皆さんに振る舞ったということにもなるんでしょうね。

――エアウナルラというと「家の中に運び込んだ」という意味にもなるし、アウナというのは「内」と、それから「隣」という意味もあるから「隣にまで運べるくらい」という意味にもなるし、どっちにとったらいいかって迷うことがあるんですけどね。

それでも、その時代たくさん獲る人たちは隣にまで分けたと思う。ウエペケレの中にもあるから。それからアイヌの伝説的なお話の中に、歳をとったお婆さんの話なんだけど、目が悪くなって、その人はイヌをかわいがっていたんだけど自分で体を動かせなくなったときに、イヌが魚を捕ってきてそのお婆さんに食べさせてくれたって、そういうイヌもいるんだよね。それもアトゥチェプ（吐き出した魚）だって言うから。「アトゥチエプ」というと一回食べたものを吐き出して、イヌはそうやって子どもを養う。だからイヌの真剣さだったと思うんです。そうやってイヌに養われたアイヌのお婆さんもいたって。だからセタ（イヌ）でも何でもラマチ（魂）があるんだって。ラマチは魂だから、魂があるんだって。

――そのようにカムイホプニレ（クマの魂送り）をきちんとしたわけで、クマをそれだけキムンカムイ（山の神）として大切に扱ったわけですが、昔の話で、たとえばクマに何かのかたちで傷を負わされた人がいて、それでもカムイ（クマ）がやったことだからと言って、そんなに大げさに痛がらなかったという話を聞いたことがあるんですけど、どうですか。

精神的にはそういうふうに、カムイ（神）という名の元で許せたということは言えると思います。そのくらいカムイ（クマ）を真剣に敬っていたと思います（注：カムイには、①神様　②クマ、の二つの意味がある〔千歳方言〕）。

人を殺したクマの処分

――それとは逆に人間を食べたりしたウエン（悪い）の方、同じクマ神様でも悪クマと言われるのもいるわけですよね。

はい。たとえば人間を襲ったり、人をあやめたクマがいると、普通のクマのときは家の中へ入れて神様としてホプニレ（魂送り）するんだけど、人をあやめたクマは家の中へは入れないんですよ。昭和一六年か一七年に私の同級生の女の人がクマに殺されて私も四日間捜したことがあるんです。仲間のハンターがイヌを連れて行ってそのクマを獲りました。人をあやめたクマというのは、人を襲った現場からそう離れないんですよ。人間はもう餌になっていますから。人を食べたクマは、一度人間を食べたらもう餌だって考えているんです。その当時はまだアイヌの年寄りの人が大勢いてそのクマを家の中に入れなかったですよ。

――そういう悪いクマの解体の仕方などで違う部分はどういう点ですか。

河原の方で解体して、その肉も食わないですよ。

――ようするに人をあやめたクマはもうカムイでも何でもないということですね。

カムイという言葉はもう使いません。そのくらいクマというものがカムイだという、精神的にもともと敬っていたと思うんですよ。だからカムイは人をあやめないものだと。だから悪いクマにはおみやげをやるとか何とかってそんな儀式も全くなかった。それをするのも野っ原ですよ。人の家の中には絶対に入れないです。

――ということはカムイというものは、人間に恩恵をもたらすものだということをはっきりと信じて疑っていないんですね。

そうだと思います。しかし、同じカムイ（クマ）であっても人をあやめたものはカムイ（神）でなくなっているんです。それは一度だけ見ました。

――じゃあトノト（酒）も何にもあげない。

そうです。それなりに送る言葉は言っていると思うんです。悪いところへ、地獄なら地獄へ行けと。浮かび上がれないような言葉の送りがあったと思うんです。

花矢の苦い思い出

――イナウケ（御幣作り）は自分でもやったんですか。

少しだけね。だけど下手にやると手を切るから。

――道具類は今でも持っているんですか。

持っています。それからイヨマンテ（飼いクマの魂送り）に使う花矢、これを作るのが私はすごく上手なんですよ。模様を入れて。模様も悪い模様でなくいい模様を入れるんですよ。

――こっちではヘペレアイ（子グマの矢）って言わないで違う言い方をするんですか。

チロス（花矢）って言います。やっぱりそのチロスにもいい思い出はなくて、嫌な思い出があるんですよ。そこがラタシケプ（混血児）につながるんだけど、クマ祭りのときに私たちの方では、子どもたちにチロスを分けてくれるんだけど、渡す人は、手を伸ばす子どもの顔を見て、たとえば村の有力者の子どもだったら良い花矢をあげる。いいチロスをもらえるなと思って手を伸ばしていると私のようなラタシケプにはくれないんですよ。もらえなかったことが悔しかったので、私はそれを自分自身で一生懸命彫ったんですよ。それで自分で彫ってカムイホプニレ（クマの魂送り）があるときには、私は二〇本くらい自分で彫っていって、私が自分に分けてやるんですよ。自分で彫ったものだから。そして、顔を見て、ウエンクル（貧しい人）の子どもたちに逆に私があげたんですよ。

グループハンティング

――生涯かけてグループハンティングも含めると六〇頭くらいクマを獲ったということですが、

そのうち一人で四〇頭くらい獲ったというのはだいたい何年くらいかかったんですか。

だいたい二五年くらいです。

――グループハンティングというのはそのあいだにぽつぽつとやっていたんですか。それとも後半にまとめてですか。

後半ですね。

――どうして後半にまとまってやるようになったんですか。

クマ猟というのは私の本職なんです。ところがシカ猟というのは私は全くやったことがないんです。そうしたらシカ猟をやっている人が、厚真《あつま》、穂別《ほべつ》の方はクマが多いから、雪が降って林道を歩いたらクマの足跡が一朝に五頭も六頭も林道を横断しているって言うんです。だからそれを獲りたいけれど自分たちはクマ猟を知らないからと、夜になって電話がきて、「姉、行って一緒にやらないか」って。

その頃米軍の仕事が終わって、一一月にヒマができたので、一人で猟に行こうかなと思っているところへの電話で、クマがたくさんいると言うので「それなら俺も今ちょうど体が空いたところだから行く」というのがきっかけなんです。

彼らは全くクマを知らないから。行って山をずうっとひと回りしてみると、ああ、このクマはこの山に向かって逃げるってそのコースがわかるんです。それで「ここところを、こっちから追ってくるから、ここに立っていなさいよ」って立たせて、それでひと秋に五頭も六頭も獲ったんですよ。そういうことで共同猟は本当に短期間ですね。

トリカブトの栽培

——昔はトリカブトの毒を矢尻に塗ってクマを獲ったわけですよね。姉崎さんの時代はもうそんなことはしなかったですか。

しないです。ただその道具を見たことがあります。エカシ（おじいさん）が持っていたから。トリカブトというのは私の隣のアチャポ（おじさん）がエロンネ（家の上手）に作っていました、栽培して。ロルンプヤラ（神窓）に近いところに畑を作って。毒の効き目があるのはこの地方にはなかったから、十勝から持ってきたそうです。当時、十勝まで行くっていったら交通の便が悪いから何日もかかって行ってきたんでしょう。十勝のスルク（トリカブト毒）が強いって有名だったから採りに行ってるんですよ。

——根を付けたままこっちに持ち帰ってきたわけですか。

根を生かして持ってきて栽培してふやして。本当に宝ものを大事にするように、あちこちアイヌの人が住んでいたと思うところには今でもスルクがありますよ。

——それはかつて栽培していた名残なんですね。

そうですね。そこは今では営林署の林の中ですけど、大根畑のように畝《うね》があって栽培の畑が広かったところもあるんですよ。スルクばっかりが。ところが今は木が密集してきたから畑が縮んできているんです。きれいな花が咲くからといって子どもたちがスルクを採ったりしたらすごく怒られました。そうしているうちに、だんだん鉄砲の時代になってきて、そのスルクを使わなくなってきてから隣のポン・アチャポも「こんなもの、いつまでも置いといたって危ないから」って放ってしまったけどね。

——矢にどういうふうにスルクを付けたか教えてください。

ヤニですね。ヤニを使って付けてそういう仕掛けをして。昔の人はそれでクアレ（置き弓する）した。そのときある人が、自分でクアレしていったところ、クンネ（日が暮れる）して下がってきたとき暗くなったために迷ってしまって、自分の仕掛けたク（弓）に当たったんですよ。そうしたら、なるほど毒のことも知っているけど勇敢だなあと思ってその話を聞いたことがあるんですが、その人はマキリ（小刀）でもってそこをえぐり取ったって言うんです。それで死ななかったんですよ。やっぱり有名でしたよ。子どものときに聞いた話です。

猟場の二つのとらえ方

——ここで猟場、キムンイオル（山の猟場）についてうかがいたいのですが、どのように猟をする場所は定められていたのですか。

今は、市が猟場を決めているんですよ。たとえば恵庭《えにわ》市ならどこからどこまでと市が決めているんです。私たちの千歳《ちとせ》市の場合は、昔からクマ撃ちの多いところで広範囲に動いていたから、それを考慮して、千歳市は広くもらっています。千歳市の猟師は、千歳も恵庭も苫小牧《とまこまい》も、そして定山渓《じょうざんけい》までも入れたんです。穂別までは入れなかったですが。

——その範囲の中で猟をやっている分には問題はないんですか。

はい。それは問題ないです。

——たとえば境界を越えて手負いのクマが向こう側に行った場合、追っていくのはいいんですか。

手負いのクマをたとえば恵庭の人が追ってきた場合には、それはかまわないんです。しかし、自分たちの手に負えなくなったら、入った先の市に連絡するんです。

——いつごろから市が猟場を決めるようになったんですか。

それは比較的最近のことだと思います。

——それ以前はどうだったんでしょうか。

もっと前は、自由に他の場所に入れました。北海道中どこでも入ってよかったです。私たちのもっと前に狩猟していた人たちは千歳からどこでも歩いていました。

——昔、アイヌのコタン（集落）があって、そこの人たちのイオル（猟場）はかなり厳密に決められていたという説もありますが。

昔のアイヌ民族のあいだではイオルはきちんと決まっていたと思います。昔話で伝わっているのですが、昔トリカブトの毒矢で狩猟していて、上手な人は毒がすぐに効いて三分くらいでクマを倒したと言います。ところが下手な人が作った毒矢は、少しクマの足止めはできても倒れないで何キロも逃げていったそうです。古い人たちの話では、昔、白老《しらおい》から手負いを出して、千歳のママチ川の奥でクマに追いついて倒したそうです。そこで解体しているところを千歳の人が通りかかって、なんでひとの猟場まで来てクマを獲っているんだ、ということになった。今の人たちの場合ならば、追ってきた人たちが七、八割取って、二、三割は踏み込んだ土地の人に置いていくんですが、そのときは、みんな持って帰ってしまったと言います。

――それでは、もめごとになってチャランケ（論争）になるでしょう。

チャランケが起こりますね。そういうしこりは、やはり起きてきますね。

――コタンがあった時代のイオルは、どんな場所を境界線にしたんでしょうか。

そのコタンから一番歩きやすい山などがイオルになったのでしょう。

――かつて川筋にコタンができていたので、その川筋から上って行った山がそこのコタンのイオルだった、とは考えられませんか。

住んでいた人たちの地域のつながりで歩けた範囲が、イオルではないかと私は思うんです。

――自分たちのイオルを持っていたという言い伝えがある一方で、ウエペケレ（昔話）などには、そうした縄張りのようなイオルの話が出てこない、この性格の違った二種類のイオルをどう考えたらいいんでしょうかね。

それは二種類に分かれるんだと思いますね。エカシ（おじいさん）なんかと一緒に山を歩いたときに私はよく昔の話を聞いていたんですが、やっぱり昔でも自由ではなかったと思いますね。自分たちの近くの猟場は決めていたと思いますね。各々のコタンから近いイオルは厳しく決まっていたと思うんです。しかし、イオルがあってもそこを越えたところ、うんと離れていて体力がなければ行けないような遠いところ、どちらのイオルからも離れていてなかなか行けないようなところに行って獲ってくるような場合は、あるていど黙認ではないかと思うんです。

――なるほど、どのコタンからも離れたようなところですね。

カムイミンタラとは

――カムイミンタラ（クマの遊び場）っていう言葉がありますけど、これはどういうところを指してるんですか。

カムイミンタラっていうのはここならカムイが遊びたいような山だなというところを意味しているんだと思います。

――たとえば知里真志保《ちりましほ》は、ミンタラのことをクマたちが交尾をしたりするような場所で人間が踏み込んではいけないような場所と言っているんですが、交尾をする場所は、だいたい決まっているんですか。

クマの交尾する場所というのはそういうカムイミンタラでないと思います。カムイミンタラというのは高い山々の中の景色のいい場所、本当にこれは神様の集まる公園だなっていう、今で言えば国立公園っていうような、我々が見ても山の景色にうっとりと心を引かれるような場所があるんですよ。それはもう人間の勝手な思い込みでカムイでもここなら来て遊びたいだろうなっていう心を表現したものでないかと思う。そしてカムイ（クマ）の交尾場所というのは、六月というと奥山で冬眠したクマはみんな里に下がるので、山の上へ行って交尾することはないんですよ。交尾する場所というのはだいたい水飲み場とか比較的平らな山で動物の集まりやすい場所です。

昔、私が一緒に山を歩いたことがあるおじいさんで、早く死んじゃってもういないんだけど、その人から聞いた話では、支笏湖《しこつこ》のモーラップから下がってきて、スキー場のあいだの山がありますよね。あの山の中には見えないんだけど川が流れているんですよ。そしてクマが好む山菜がたくさんある場所なんです。そこは山が比較的平らなところで発情期にクマがたくさんいる時代の話を私は聞いたんだけど、そこへは三〇頭くらいのクマが集まっているのを見たって。私たちの時代には何十頭も集まるようなことはなかったけど、発情期になったら鳴いて歩くことは間違いないですね。

——気が荒いんですか、そういうときは。

気はそう荒くないと思いますよ。人に危害を加えるために歩くんではないから。メスを探しているだけだから。そばへ来て鳴いていても、こちらが音を出していると姿を見せないでいつ立ち去ったともわからないうちに遠ざかってしまうんです。

——それと、知里真志保はミンタラのことを、クマたちが足で踏みならしたような跡があるということも言っているんですが、クマたちが踏みならすというようなときはどういうときですか。

それは交尾の場所ではないかな。それは見事ですよ。もう踏ん張って。クマ牧場の交尾を見た人たちの話でも、一日中乗りかかったきりでいるんだっていうから時間は短いものではないらしいですよ。電波発信器を付けたクマを追って歩いて、交尾の場所を見つけて、そこへ行って見たら、後ろ足でがんばった跡がびっしりあって、乗りかかったきりゴロゴロそこら辺を歩いたのではないかと思うような踏まれた跡がすごかったです。昔、私たちがうんと若い頃にはたくさんあったんです。今ならわかるんですけど若い頃に見たときはその知識がなかったから。たとえば人間でもそういう場所に無理な意地悪をしてはいけないんです。

狩猟は招待

――カムイユーカラ（神謡）やウエペケレ（昔話）をみると古い時代にはアイヌの人たちが狩猟に山に入ることは、カムイを自分の家に招待することだというように捉えられているのですが。

そうですね。私が聞いたのもクマを撃ちに行くことは、クマを招待する気持ちを持っているのだと。その気持ちが本当だというのは、クマを獲ってきてから、いかに時間を惜しまないでカムイに持たせるイナウ（御幣）やイナウチパ（屋外の祭壇）を作るかでわかる。そのために使う木もわずかではないんですよ。何日もかけて木を伐ってきて、イナウを作り、イナウキケ（削りかけだけのイナウ）を手数をかけて作るんです。子どものころ私が見に行くと立派な髭を生やした男の人たちが何日もかけてイナウを削っていました。勇壮な感じのする男たちが手間ひまかけてカムイ（クマ）にもたせるイナウを作っている。そのあいだに女の人たちは団子、シトっていうんですが、一生懸命に団子を作っていた。手伝いの人もいれて何日もかけて作る。米をつく人。それを練って団子を作る人。それに串を通す人など、おのおの手分けして作る。カムイにもたせるシトは、真ん中から棒を通して肩から下げられるように紐《ひも》をつけて作る。こういうことを何日もかけてやるんです。それだけ手間をかけてするので、「カムイを招待する」という気持ちはやはりそこに表れていると思うんですよ。

――そうすると、昔のアイヌの狩人の気持ちの深いところにはやはりカムイを招待しようという気持ちがあったんでしょうか。

やっぱり私らもそういうように聞いていて鉄砲撃ちを始めたんだから。クマが来たら昔の人たちのようにきちんとは作れないけれど、そういうことをよく知っているおじさんに頼んでイナウでも何でも作ってもらいました。イナウキケを作ってホプニレ（魂送り）はしました。ホプニレとは人間で言えば葬式のような形で葬ってやることなんです。

――魂送りをするんですね。

はい。

――すると姉崎さんの時代のアイヌの猟師がクマ撃ちに行くときには、クマを招待するという伝統的な気持ちがどこかにあったと言えるんですか。

気持ちのどこか片隅にはあったんだと思います。獲った後にそれだけの大仕事をするわけだから、ただクマを獲ったという喜びではないんです。クマを獲ってもこの肉の部分を持って帰る、ここは捨てていく、ということをしないでみんな大事にしてやろうと考えて、カラスにあげる部分以外はどの部分も持って帰る。

今のように交通の便がよくないときだから、雪道を背負って帰るのは大変だったですよ。そして、帰ってからコタン（集落）の人がクマの肉をわずか一切れもらうときでもアイヌの習慣のオンカミ（礼拝）してもらって食べる。何回もオンカミする。

——姉崎さん自身もクマ撃ちに山に入ったときは、ただクマを倒せばいいというのではなく、心の深いところでは昔の人が持っていたような気持ちがあったんでしょうか。

あったと思います。

——スポーツハンターとは、そのへんはぜんぜん違うんですね。スポーツハンターはクマを倒すことに喜びを見いだしているんですものね。

うん。倒したらその後まで私らは責任を持ってやるんだから。やっぱりクマを獲れば獲るだけ責任は重たくなりますよ。

——イナウを作ったりシトを作ったりして、一生懸命お客であるカムイのお迎えをする準備をするわけですからね。

私はやっぱり一つの命をもらって恩恵をいただいたという感謝の気持ちはあったですよ。クマでなくても小さな動物でもそうです。小さな動物にはイナウを作るというようなことはしなかったですが、米粒をあげて祭ってやることはしました。一つの祭壇のようなところで。

——たとえばどんな動物をですか。

イタチとかリスとかウサギのようなものでもお米を付けてあげて祭ってやりました。みんながやっていることを自分も粗末にしないできちんとやれば、バチも当たることはないんだというように。気持ちの上でも整理できるんですよ。

——一方、カムイ（クマ）の側からするとアイヌモシリ（人間界）にやってくるときは、心の正しい人の家に招待されたいという気持ちでやってくるとカムイユーカラ（神謡）などでは語られているんですが、そのへんはどう思いますか。

やはり、心からあそべるような家に行きたい気持ちはクマにしても人間にしても同じだと思います。ハンターは、動物の命を取るんですから、嬉しいことはないんですよ。リスのような小動物だと、助けてくれといわんばかりに手を合わせて拝むようにするんです。

それでもハンターは銃を向けて落として、ものの命を取ってきて自分たちの生活を潤しているんだから、感謝の気持ちは持たなければならない。クマを招待するにしても人間と同じで、うわべだけの招待だったらクマも嬉しくはないですよ。心のよい人の家に招待されたいという話があるのは、人間の心を正しく運べよ、とアイヌは考えたからだと思います。

再びコタンに来てもらうために

——クマ神様を家に迎えたあと、どんな気持ちだったんですか。

そうですね、迎えたカムイを大事にしていろいろなごちそうをたくさん供えるんですよ。そのカムイ（クマ）はアイヌのコタン（集落）に行ったら、「アイヌコタンはいいところだ。こうしていろいろなものを私の親に持って行きなさいよって私がもらって来たから、アイヌのコタンはいいところだ」っていうふうな気持ちで帰って行く。そして次の神様（クマ）を迎えることになる。クマの神様というのは毛皮なり肉なりのおみやげを持ってまたアイヌのところへ来るんだって。そういう考え方が強かったと思います。

――つまりホプニレ（魂送り）するときに、いろんなおいしいものを作ってみやげにしてカムイモシリ（神の国）へ帰るときに持たせてやる。そして向こうへ行ったらアイヌコタン（人間の村）に行ったらこんなにいい思いをして来たんだぞって伝えてもらうわけですね。

そう。そしてそれの繰り返しをやるんだって。そういう考え方は強いと思います。

――それで猟に行くということはクマの神様を出迎えに行くんだという気持ちで行くわけですね。

そうだね。それだけやっているから、クマの方もカムイモシリでちゃんと伝えてくれると当然のように思っていたんではないか。そのくらい迎える方は真剣だったと思いますよ。

第五章　クマにあったらどうするか

　北海道に生息するヒグマは、本州のツキノワグマと較べて体も大きく、オスの成獣だと体重二〇〇キロくらい、なかには体重が四〇〇キロにも達するものもいると言われ、その一撃で馬や牛を倒すほどの力をもっている。人間が攻撃されればひとたまりもない。姉崎さんの住む千歳《ちとせ》周辺でもヒグマに襲われる事故が過去に何回もあった。五人もの人間が襲われ、そのうち二人が死亡した事故もあったという。また人を食べてしまったクマは、それまでとはガラッと変わってしまうほど恐ろしいクマに変貌するという。どんな状況でこうした事故が起こったのだろうか、その様子を姉崎さんに語ってもらった。

おばあさんを食べたクマ

千歳の一番近いところでおばあさんが襲われたことがあります。そこは王子発電所の近くなんです。おばあさんは、終戦直後で食糧難だったから送電線の下にイチゴ畑を作っていました。そうしたら山が近いところだからクマが喜んで畑に寄ってくるんですよ。その畑に昼間行けばよかったのに、おばあさんは夕方行った。クマにしてみればイチゴはもう彼らの食料になっているんです。おばあさんを見て、逆に自分たちの大事な食料を奪われると思ったのと、そのクマが子連れだったので我が子を守ろうとするのとが重なって事故になったんだと思います。

最初から人を食おうとして襲うクマというのは、事故をもうすでに何回も起こしたことのあるクマです。そうしたクマは人を狙うんです。しかし、そのおばあさんを襲ったクマはそういうものではないと私は思っています。おばあさんは偶然二つの原因が重なったために食べられてしまったんです。自分の食料だと思っているものを奪われると思ったことと、子供を守ろうとしたことがね。襲ってしまうと彼らの場合は、ただ殺すだけのクマもいるし、それを必ずどこかに運んで安全な場所に移すものもいる。そして、そこへ持って行ってかじっているうちにその味を覚えてしまうんだと思うんですよ。ふつうクマは人間を強い動物だと思っているから人間を襲おうとは思わないんです。しかし、一度クマが人を襲ってしまうと、他愛もないし、力もなく、抵抗もしない、「なんだ恐れていたやつがこんなに弱いのか」ってすごい自信が出るんですよ。そして襲って食べると、味も覚えるし。そうなると人を恐れずに次々と襲うようになります。

そのときは夕方の事故だったので、二重事故が起きる場合があるから、朝まで人が入らないようにして翌朝山に行きました。とにかく一度人を襲ったクマにとっては、おばあさんはもう食料なんですよ。そうするとほとんどの場合、食料である倒した人間のそばにいて見張りをしています。それを人が取り戻しにきたら、自分の食料を持って行かれたら困るっていうことで、堂々と出てくる。そして来た人を逆にまた襲う。鉄砲撃ちが大勢で入って行っても、その人間たちをまた襲ってやろうという意気込みで向かってくるんですよ。だから逆に一度人を襲ったクマは獲りやすいよと私は言うんです。逃げ隠れしないでハンターに向かって来るから。そして、そのクマはハンターに撃ち獲られました。

家畜を襲うクマは捕まらない

それから家畜を専門に襲うクマがいるんですよ。この家畜専門に襲うクマっていうやつは、たとえば馬とか牛のようにクマから見たら体が倍もあるような大きいものを襲ってみても、わりと簡単に倒せる。力が違うからね。クマの力で倒したら思ったより楽に倒せるし食ったたって量があるから食いごたえはある。だから家畜に対しては自分たちの方が強いということがわかっている。そういうクマでも人間に対してはすごい恐怖心を持っているんですよ。だから家畜を襲ったクマは、相当腕のいいハンターが行ってもかなりの技を持ったハンターでなかったら、そのクマを撃ち獲れないんです。法律で規制されている夜間発砲という時間的な問題もありますしね。それと仕掛け銃も法律で禁止されているので、法律を守ってそういうクマを退治できるかっていったら、まずクマの知恵の方がずっと上です。そういうクマは人間の考えることの裏を読めるんですよ。

たとえば家畜を襲って、これは大滝村（支笏湖《しこつこ》と洞爺湖《とうやこ》の中間に位置する山あいの村）での話なんだけど、当時そこには三〇戸くらい民家があって、牛を飼って、牧畜に頼りながらそこを開拓していました。その大滝村というのは周りにたくさんクマがいるところですから、当然クマが家畜に目を付けて、ついに家畜が襲われた。そこで大滝村のクマ対策ということでハンターを出動させたんだけど、ハンターがクマに襲われた農家を守っているあいだに、今度はクマは沢を跨《また》いだ隣の農家を襲うんですよ。そしてそっちの方にハンターが移ると、クマはそれを高いところで見ていて、その裏をかいてまた別の農家に移動するんです。そのクマには当時のお金で三〇万円という懸賞金も付いたんです。三〇万っていったらえらい額です。

その頃私は月一万円足らずの給料でしたので魅力がありました。本当にその懸賞金付きのクマを撃ちに行きたいなあと思ったんですけど仕事があるのでどうしても行けなかった。私はそういうクマには自信があったんです。クマが裏をかくことも知っているし、いろいろな仕掛け技術を私は全部知っていたので。ただし私一人に任せてくれなかったら駄目なんです。ハンターがあっちからもこっちからも入ると事故が起きやすいから。だから、すべてを任せるからあんたが処理してくれ、と頼まれれば私は自信があるんですよ。そしてそこの村では自衛隊が何十人も出た。ハンターも各地方から集まって出たんですけど、そのクマはとうとう獲れずじまいでした。

家畜を襲ったクマは獲れないのが当たり前なんですよ。クマは家畜には強いけど人間には弱いんです。それを彼ら自身はよく知っているから、人間にはすごい警戒するんです。ところが、さっきのおばあさんの例のように一度人間を襲って人間が弱いのを知ると、もう自信がついて、今度は自分に向かって来る人間も餌に見えるんですよ。そうすると大胆な態度に出てきます。

五人が襲われ二人死亡

それから支笏湖でタケノコを採る時期に五人の人が襲われたことがあるんです。それはシシャムナイというところです。襲われた場所は違うけど五人襲われて、それで二人死んでいるんです。三人は一カ所でケガをしている。最初に襲われた人は竹伐りの人だからナタやなんか持っているし、その人たちは逃げないから助かったんです。逃げないでクマに応戦していた。竹伐りの親方というのは小さいブルドーザーをもっていたんです。親方が見ると、仲間が一生懸命ナタを振り回して応戦しているところだった。それで親方はブルドーザーのキャタピラを外す金テコを持って応援に行った。応援に行って二人で振り回していたら相手が逃げちゃった。それが最初の日の事件だった。ところが、それから二日後、今度は二キロくらい奥の沢の中にタケノコ採りにいった人たちが襲われたんです。そのときは三人が襲われて二人死んでしまったんです。

警告を無視して殺される

竹やぶだから襲われやすいんです。それでも、その前に私はそのクマのために駆除隊《くじょたい》として出動していたので「タケノコ採りに入っては駄目だ」って言ったの。こちらが強制して止める権利はないから、私たちは「危険なクマの見まわりに回っているから入らないでください」って言うだけでした。入らないでくださいって言うと、タケノコ採りに来た人は、余計なこと言うなっていう調子で「いや、大丈夫だ。道路からちょっと入るだけだから」ってどんどん入るんです。こちらが注意したのに、それを無視して食われるのは私は仕方ないと思った。そうしていたら、また別の人がどんどん襲われた。

私はその襲われた日はいなかったんだけど、駆除隊の人が鉄砲を持って入って行ったんです。先頭きって行ったのが穴熊専門の人。その人はアイヌの人たちの習慣として、頭は撃つなっていう習慣の人なんです。どうして頭を撃たないような習慣がアイヌに残ったのかというと、昔は弓矢だったからなんです。

弓矢で頭をうったって刺さらないでしょう。刺さってはじめて毒がまわるんだから。そういう道具だから「頭を撃つな、頭を撃つな」というのを私も言われたことがある。「クマの頭を撃つものでない」って言うけど、いま鉄砲の時代なんだから頭に一発ドンと撃って、脳に弾《たま》が入ったら転ぶから。しかし、その人はクマが三、四メートルの所に来たから胸を撃ったって言うんです。胸を撃ったら横に二メートルくらい跳んでそこから動かないで足をバタバタしているとき、別の人がとどめを撃ったという。

襲われた人たちというのは三人でタケノコ採りに行ったんです。そして二人はつかまって殺され、一人はけがしたけど、そこから逃げられた。それは若グマだったね。せいぜい親離れしたばかりの三歳の。若グマというのは人間を襲ってやろうというのではなく半分はじゃらけているんだと思う。これは、結局私たちが注意したのを無視してタケノコ採りに入って二人も殺されてしまった事故なんです。

姉崎さん自身がヒグマに遭遇《そうぐう》して一番危険な目にあったときというのはどんな状況だったのだろうか。巨大なヒグマと至近距離で出会ったこともあるという。そのとき巨大グマにどう立ち向かったのだろうか。どうやって危機から脱したのだろうか。

足元から巨大グマが

私は千歳《ちとせ》の蘭越《らんこし》に住んでいて、蘭越からは二〇〇～三〇〇メートル山へ入るともう国有林なんですよ。そしてアイヌ語のペシャっていう湿地帯の川があるんですけど、ここにクマが非常にたくさん出るんです。そこでクマを獲ったことがあるんです。そのときはクマを撃つつもりでライフル銃を持って行って、弾を装塡《そうてん》して抱えていたんです。そこにクマが水を飲みにしょっちゅう行き来するケモノ道があるんです。人が歩いてもガサッともいわないほど木の葉が踏みしめられた道になっているんです。私もそのケモノ道を歩いたので音はしないけど、さらに音がしないように忍び足で静かに様子を見に行ったんです。

そうしたら風倒木の陰に、めったにそういうところに寝るものでないけど、クマが寝ていたんです。クマは人がめったに入ってくるような所ではないと安心していたんだと思う。そこへ私が忍び足でキョロキョロしながら行ったら、その音がクマの耳に入ったんだと思う。フウォーッと。その接近に気がついたときのクマの驚きの声ったら凄かったですよ。こっちは横になっている木の陰にクマがいたから全然見えなかったけど、フウォーッというすごい声でびっくりしました。クマの方はあんまり近くに人が来ていたことに驚いたんです。そういうときに人を襲う危険性があるんです。

クマは最初から人を襲う動物ではないと私は思っているんです。向こうの方が逆に襲われたという錯覚をするんですよ。そしてフウォーッて言って、私の方に向きを変えて風倒木の上に立ち上がるようにして、ファゥ、ファゥ、ファゥと凄い剣幕で怒った。その瞬間にクマにも言葉があるんだなあって私は思いました。クマの立ち上がった懐から子グマが山に向かって丸くなって走って行ったんですよ。「危険だ、逃げて行け」っていう親の言葉だったんだと思うんですよ。普通なら危険だから離れるなって言うのが常識だからね。その年に生まれた子だから小さかったんですけど丸くなって逃げて行ったんですよ。

その母グマは私とごく近い距離のところで怒って私の方を向いている。でも私は銃を構えていても撃たないんですよ。相手の心を鎮めなきゃならないから。相手が怒っているうちに撃って、その勢いで来られたら危険だから。だからじっと我慢して見ながら相手の怒りの鎮まるのを待ってやろうと思った。私は全く動かない。すると、ハゥ、ハゥ、ハゥ、ハゥと今度クマの息の吐き方が和らいでくるんですよ。それで、ああ気が鎮まったなと。相手の心を鎮めてからもう大丈夫だなと思ってから一発ドンと撃ったんですよ。

近距離で撃っているし鉄砲には自信があるほうですから、絶対にゴロンと倒れるつもりで撃ったんですよ。だけど、これが子連れの恐ろしさっていうんですね、倒れないいんですよ。やっぱり子を案じているから子の方へ向きを変えて山の方へ行こうとしたんですよ。急所には当たっているんですよ。心臓に当たって致命傷になっているけど。私はやっぱりアイヌとして、クマの頭は撃たない習慣がついていたんです。弓でやっていた時代の習慣が残っていて、私らは頭を撃たないんですよ。でも頭は銃のときは急所なんですよ。だけど頭は撃たないようにみんなが昔から言っている話を聞いているから、それがいつとなく身についているんだと思うんで私も胸の方を狙うんです。そして撃ったら親グマは子グマの方へ動こうとしたんですよ。それは一〇月の中頃ですからまだ日が落ちるのにはだいぶ時間がありました。

一発撃って二発目を撃とうとしたときに、そのクマは山へ向かったんですよ。そして山へ向かったときに二発目を撃ったらよろめくように見えたんだけど、もう日がどんどん暮れていくから、よろめいたのか逃げて行ったのかよく確認できない。でもそういうときに私たちは直接つかつかとは絶対に近寄らないんです。迂回して倒れているなというところへ少しずつ近づいていく。斜面であれば上の方から。

普通の人はとどめを撃つといって、無駄な弾をパンパン撃つけど、私たちはそういうことは絶対しないんですよ。そんなことをしたら習慣になるし自分の度胸が決まらないから。とどめっていうのはしないんです。一回で死んでいればとどめは必要ないんだからしないんですよ。よろめくのが見えていたから弾の効きはわかっているんです。

そして死にかかっているときに接近するのが一番嫌なんですよ。とにかく倒れていたって息があれば、かかってくる動物だから。そのときに一番慎重にならなければいけないんです。クマによっては死んだふりをしてじっとしていることもありますし。

死んだクマにとどめは撃たない

私たちハンターは死んだものには二の弾をかけるなって言うんです。倒れていたら逃げる力を奪っているんだから、ハンターとしては九分九厘獲っているんです。だから何もあせらないでじっくり安心して時間をかけろと私は言うんです。瀕死の重傷のときこそ一番怖いわけです。普通死んでしまうとケモノというのは毛が寝てしまうけど、まだ毛並みがフワーっと立っているときはまだ相手の精神までは死んでないんですよ。相手がまだ逆襲するんだという意気込みがあるときに毛並みが立っている。

それと、ある程度毛並みがぐたっとなっているけどまだ息の根が止まっていないというときは、下腹の皮が薄いから息をしているとフワッ、フワッと動きがある。だから、それくらいまで気をつけなさいって言うんですよ。

棒で突っつけるほど接近したら危険です。彼らはそんな動作ののろい動物ではないから。クマに接近しているときには、鉄砲よりクマの方が速いです。このときのクマは至近距離で子連れだったので危険でしたが、その頃私のほうには、もうだいぶ余裕ができていたので、怖くはなかったです。それで、ようやく近くからそのクマが死んでいるのを確認しました。

生涯で一番危険だったクマ

私の生涯で一番危険な目にあったときの話をします。それはもっと若い頃でした。その日、私は昼を過ぎてから村田銃を持って山に行きました。するとトメ婆さんに会ったのです。そのトメ婆さんという人はちょっと変わった人で、あまり誰とも話をしないのだけど私とはよく話をしてくれた人で、「山へ行くんなら今この先に悪さをしそうなクマがいるようだから気を付けなさいよ」って言われたんです。

私はクマを獲りに行くんだからいる場所を確実に教えられたので、よしそこへ行こうと早速そこへ向かって行ったんです。行くと大きな深い沢があって、沢沿いに上から眺めながら、この辺なら撃ちやすいだろうなと考えながら歩いていると間もなく、右の耳にピューンという、スズメバチに襲われた経験が私にはあるものだからそういう音が耳に入ってサッとその音の方をのぞいたんです。そしたら、なんとデカいクマがウワッ、ウワッ、ウワッと牙をむきだして私にかかってくるんですよ。距離は八メートルから一〇メートルくらいでした。私はいつでも撃てるように弾は詰めて抱えて歩いていたんですが、それを構えるのが精一杯で、構えたときには、もう二メートルかそこらに接近していました。すごい早業です。そうやってクマが接近してきたときにはやっぱり大声を出しましたね。

そのとき、私とクマのあいだに直径五〇センチくらいの木が一本あったんです。その木の陰に相手がひそんでいるんだけど、低い姿勢で腹ばいになるような飛びつく姿勢ですから、私の方からその木は見えるけどクマは見えないんです。その見えないクマが私に飛びつくために右に左にウワッ、ウワッ、ウワッと顔を出す。黒い顔に真っ赤な口。そこに真っ白な牙がガチガチガチ。うなりと、ガチガチいう歯ぎしりが速いんですよ。そして飛びつこう飛びつこうとする。

このとき私は本当に無我夢中っていうのがこれだろうと思いました。そして真剣そのものでした。私は子どもの親なんだ。でも私が死んだら子どもがどうなるなんて、そんなこと考える余裕なんかない。ただ勝つか負けるかというのが動悸《どうき》をうつように速かったですね。

私の愛用の村田銃は、はた目から見たらおよそ鉄砲と見えるような銃ではないんですよ。全くその辺の雑品屋にあっても不思議ではないような銃で、弾が出るというだけのものです。それでもクマに勝てるんだ。私にこれさえあればお前に勝てると。クマをクマって思わない。お前、俺。そういう感じでしたね。これさえあれば俺はお前に勝てる。そうしているあいだにもクマは私を襲おう襲おうとしている。村田銃というのは単発なんですよ。一発しか弾が入らない。二の弾っていうのは、プロですから指に挟んで持っているんですけど、その接近の中で二発目を撃つ余裕はどんなことしてもないから、その一発だけが私の命を守るんだ。この一発に私の命がかかっているんだっていうことで、その一発がなかなか撃てないんですよ。

顔を出すんだけど顔を全部は見せてくれない。木の陰から頭半分と目の玉一つだけ。一つずつの目の玉しか見えないんです。そうすると、この目の玉半分をそぐだけの力が弾にあったとしても相手は倒れないんですよ。それを私はよく知っているから。サッと目の玉二つが見えればその真ん中を撃ってやろうと思うんだけど、私の命がかかっているから撃てない。でも、そのとき私がすぐに撃たなかったのは正解だったんです。

それから何十年かたってクマを何十頭も獲ってからも、あのとき撃たなかったのは正解だったなと今でも考えています。あれが今の自動式の連発銃を持っていたら間違いなく私はクマにやられていました。というのは、相手が掛かろう掛かろうとして息込んだ気が盛り上がったときに一発撃つと、それを誘いのきっかけにして飛びつかれて私も終わりなんですよ。やっぱり単発だったということが私の命を守ったんだなあと思うのは、単発だからその一発でしか命を守れないということですぐには撃たなかった。

もう無我夢中ですから、右や左に出す顔の先には必ず私の銃口を向けるんです。そして「ウオー、ウオーッ」と私も声を出す。絶対にこれは声を出す。どんな場合でも声で圧倒するだけの力で「ウオーッ、ウオーッ、ウオーッ」と声を出す。その声にはやっぱり向こうもひるむから飛びつかない。スキがないから飛びつけないんですよ。向こうは「ワウ、ワウ、ワウ、ワーッ」とおもいきりうなる。そのうなり声に負けないだけの声を出すんですよ。そうして、低い姿勢、肉食動物がものを襲うときのような低い姿勢でねらっているんです。いつ飛びついても不思議でない体勢で。

そのとき、その体勢に何の変化も見えないうちにクマがフワーって三メートルくらい空中に跳び上がったんです。三メートルくらい空中に跳び上がって、その飛距離は九メートルくらいありましたね。九メートルくらい向こうへポーンと跳んだ。空中にフワーっとその巨大なクマが。ハッていう瞬間にフワーっと跳んで、だいたい九メートルくらい向こうへ跳んだ。そしてクマは三回跳んで、もといた二〇メートルくらい離れた場所に戻りました。それでも私はそのクマから目を離さなかった。どのくらい時間が経ったのかはわからなかったです。そして三回跳んで三度目の着地のときに、その瞬間、その横に別の黒い影が見えたんですよ。ああ、子連れだと。なるほど子連れだからきかないんだ。子連れはとても気が荒いんです。子連れだからきかないんだなと思ったけど、その子どもには目は移らないんです、私は。

そうしているうちにサササッと向かって来た。その瞬間に、今だ、距離が二〇メートルあればそのあいだに一発撃ったあと、指に挟んでいる二の弾を詰められる、と計算したんです。二発目は入るって。まあ常に練習もしているから、そのくらいは入るんだっていう計算で、二発目は入るぞっと思っていたんです。それで一発撃ったんです。

ところが空薬莢《からやっきょう》を抜かないうちにクマはもう、元の場所へ戻ってきました。そしてウワッ、ウワッ、ウワッという。それで空薬莢を抜かない空鉄砲を向けていたんです。そのときの心理は、もし飛びついてくるんなら、その瞬間に、口に銃口を突っ込んででも勝たねばって思ったんです。二発目を入れる時間がなかった。でも右左に空銃を相手に向けているうちに、ようやく二発目が入った。銃を動かしながら装塡《そうてん》できたんです。

そして二発目が入ったときにハッと気がついた。俺の方が強いんだと。二発目が入る前は、やられたか、っていう気持ちはあったんですよ。だけど二発目が入ったら俺の方が強いって。やっぱり相手より俺が強いんだっていう心が大事なんですよ。俺の方が強いんだ。そう思ったら勇気が出る。そうしたら、よし、お前には負けないぞっていう気になった。

それからどれくらいの時間たったのか。いつの間にか雨が降っていたんです。雨がいつ降ったのかもわからないんですよ。無我夢中ですから。そして、秋の日暮れは早くて、どんどん足元が見えなくなるくらい暗くなるんです。おそらく二時間くらい経っていたと思います。クマが二度目を跳んだときはかすかに跳んでいるのがわかったんですけど、三度目の着地のときはもう見えないくらい暗かったです。そして見えないくらい暗いけど、三度目の着地したところで、何か仁王立ちしたデカいものが私の方に向いているなという感じでした。私はあれはクマだな、クマだなと思うだけでした。二〇メートルやそこいらでよく見えないくらい暗いんです。あそこにもともとあんな物がいなかったから、あれはクマのはずだと。じっと見たらどうも私の方に向かって立っているように見える。よし、今だ。いま撃たなかったらチャンスがない。そして、真ん中を狙って、真ん中っていうのは胸の心臓を狙って、一発撃った。

でもそれっきり倒れた音もしなければ、こちらに来る気配もない。二回目を撃ったときは弾を込めるのも速かったですよ。すぐ弾を込めていたんだけど倒れた音もしなきゃ、うなり声も聞こえない。それで帰れるかっていうと、私は若かったんですね。帰る気にはならないんですよ。何とかしてとどめを撃ちたい。銃にはわりと自信がある方ですから二発目は、たとえ暗くても狙いをつけて撃っているから当たっているっていうのはわかっていたんです。

でも、そこは直線にしてわずか二〇メートルだけど真っ直ぐトトッと向かって行けないんですよ。円形に絞りながら絞りながら少しずつそこまで近づいて行ったんです。そして、ゆるい傾斜の山ですから大体この辺であったと闇をすかして見た。むろん弾は詰まっているから、いつクマが動いても撃てるような体勢はとっているんだけど、すかして見てもそれらしきものが見えない。この二〇メートルの距離を遠まきにしながら、じわじわと近づいたから五分や三分で寄ったわけではないんです。どのくらいの時間をかけたか、それもわからないんですよ。かなりの時間はかかった。時間をかけているからどんどん釣瓶《つるべ》落としの早さで日は暮れてしまうんですよ。そして足元は真っ暗になってしまった。雨が降っていたのもそのときに初めてわかった。

私はそこへ行って「はて」と思った。そのクマは逃げてしまったのか。倒れていないから逃げたのかもしれない。しかし、当たらないわけはないし、と疑問を持ちながら、しばらく立っていたんです。そしたらドングリの落ちる音がバサーン、バサーンと。それは寂しいですよ。暗闇の中でバサーン、バサーンとドングリが落ちるんですよ。他の音は何にもない。雨降りで風のない静かな日でした。

すると、ゴソゴソっと松の木に何かがもたれたような音が聞こえた。ああ、そこにいる。撃たれてもそこにいる。そばにいるということは弾が相当効いていることになります。逃げられないんです。そこにいるんならもう一発撃ちたいと思っているうちにふっと我に返ってきた。我に返った瞬間に相手のことも考えた。

あいつは夜行性だし夜でも目が見えると。そして俺は夜、目は見えない。自分が弱いことを初めてそこで悟ったんです。

そしたら、人間て強いと思っているうちはすごく強いんですけど、弱いと思ったらこんなに弱いものはないんですね。そう思った途端に頭から氷水をかけられたように全身の血が引くように冷たくなった。それこそ金の束やるからそこに立っていろって言われたって立つ勇気なんかないくらいに力が抜けた。そうなったら、さあ、もう帰らなきゃと思った。

しかし、気は焦れど、背中を向けてとっとと帰れないんです。銃はクマの方向に向けて足だけが帰る方向に動くんです。体はクマの方向に向けて後ずさりして帰ると山の中だから、立ち木があちこちにいっぱいあるのでドスンとぶつかって、逆に後ろから押されたような錯覚でドキンとするんです。二〇〜三〇メートル離れるぐらいのあいだはその体勢が崩せなかったです。

そしてずうっと後ずさりして、ああこれで来ないんだ、もう来ないなっていう確認ができたとき初めて前に体を向けることができたんです。

そしたら前に顔が向くかといったら、今度逆に体は前に向いたけれども顔だけが後ろを向いて歩くからやっぱり立ち木にぶつかる回数は同じですよ。その繰り返しで進むからそんなに速くはないですね。そして、ようやくバイクの置いてある沢に向かって行ってバイクに跨《また》がったら、こんなにバイクって速いんだなって思うくらい走ったんですよ。

その途中で兄貴の家に寄って、こういうわけでクマにあって二発撃ったよと。そして明日の朝早く行ってみようということになった。そして朝六時ごろその現場へ行った。

その前の晩にはすごい土砂降りの雨が降ったものだから草がベタッと寝ているんです。子連れグマだということは確認しているから、草が寝ているのは子連れで遊んだからなのか、あるいは弾が当たってから暴れたからなのか、わからないんですよ。ナラの葉が落ちていますからその葉を拾って一枚一枚ひっくりかえして見ると、そこに血糊《ちのり》がずうっとあった。弾が当たってこれだけ暴れていればそう遠くへは行っていないと思って、少し行ったらまた同じような暴れた跡があるんです。そしたら、その横から筋になってずうっと草が寝ている。ああ、こっちへ行っているなと思って、そこに行ったら全然暴れた跡がない。しばらくしてから、ああ違うんだ、子連れだったから、これは子グマの逃げた跡だと。

そして引き返したら、二回目に暴れた跡からちょっと横へそれて四、五メートル歩いた体勢で死んでいるのが見つかりました。うつ伏せになって。そして持って帰ってきて解体したときに見たら、第一弾も頰《ほお》をかすって腿《もも》に入っていました。だからクマの頭の振りの速さが弾を避けたんだと思います。二発目はやはりねらいどおり心臓に当たってました。

当時私もうんと若かったし、コタン（集落）にはクマ撃ち名人と呼ばれる年寄りが何人もいましたから、その人たちに、こういうわけで、こういう襲われ方をしたっていう話をしたんです。そうしたら、黙って私の話を聞いて話が全部終わってから、それはお前だからよかったと。他の若い者なら逆に殺されていたろうって言いました。

その後何頭もクマを倒してから考えるんです。あのとき自動銃を持っていれば銃に頼って撃っただろうと。銃に頼って一発ドンと撃ったら、いくら自動銃だってそんなに次々と命中するわけじゃないから、一発撃って相手が怒り狂ったら絶対に私はやられていたと思うんです。あれだけの大きい頭があっても脳みそはわずかなんですよ。そしてクマの場合、脳に弾が入らなかったら倒れないんです。顔面半分くらい割れたからってそれくらいで死ぬ動物ではないんです。そして顔面の半分くらいやられて、いずれ致命傷になることはなってもその場では死なないですから。

その場では逆上して人間を襲う力が倍加するんです。だからそういうことを考えたときにポンコツの村田銃が私を救ったんだなあと思いました。このときが私の生涯で一番危険な目にあったときですが、危険だったけれど自信もつきましたね。あれで背中を向けていたら絶対に助からなかった。逃げない、ということがいかに大事かということもわかったんです。

狩猟を専門とする姉崎さんのような人ではなく、クマのことを全く知らない人間が突然クマに出くわしたら、どういう行動をとったらいいのだろうか。昔から、クマに出会ったら死んだふりをするとか、木に登るだとか、リュックを投げて注意をそらして逃げるだとか様々な意見がある。クマの心を知り抜いている姉崎さんに様々な角度から質問してみることにした。

adidas

逃げてはいけない

——クマに出会ったらどうするか。よく日本では死んだふりをして地面に寝るのがいいとか、木に登るとか、いろいろあるかと思うんですけれど、まず一番やってはいけないのはなんでしょうか。

逃げるということは一番駄目です。どんなことがあってもクマに背を向けるということは一番よくないです。まず絶対に背を向けない。

——だけどやっぱり逃げたいですよね、怖いから。

逃げることは自分の命はいらないよというサインをクマに送るのと同じことです。だから絶対に逃げないこと。助かりたいと思ったら逃げるんではないよと私はいつも言っています。それから昔の人の笛を吹くとか空き缶を叩くとかっていうのは、現在のクマにはあまり効かなくなっているんですよ。

——そんなのでは今のクマにはあまり効果がないわけですか。

今のクマにはあまり効きません。ですからクマも人間もその時代によっていろいろ変わっているんだな、人間だけが変わっているのではなくクマも変わっているんだなと考えてやらないといけないと私は思っています。

——それで最初の質問に戻りますが、クマに出会ったらどうするか。どうしたらいいんでしょうか。

私はまず逃げないですね。棒立ちに立っている。私の体験を話してみます。普通、八月はキノコが採れない時期なんだけど私は山で栽培していたので八月にキノコを収穫に行ったことがあるんです。三〇か四〇くらいしかキノコが出ていなかった小さい木だったけど、それを採ろうとしたときにクマがサワ、サワッと接近してきました。ガサ、ガサというのは秋のクマの表現であって、八月のクマはサワ、サワ、サワと音が柔らかいんですよ。音が柔らかいというのはゼンマイなど青草の伸びきっている中をクマが歩いて来るので、サワ、サワ、サワという音で接近して来ます。私は当然クマがいることは知っていたので、すぐ直感で「あっ、来たな」と思いました。けれども私はクマを知っているだけにそんなに怖さは感じていなかったので、まずシイタケを先に早く取ってしまおうと思って音を聞いてもまだ立たなかったんですよ。

――余裕があるんですね。

はい。だいたいもう五、六メートルまで接近したなと思うくらいのところまでサワサワと音がして。

――相手は成獣ですか。

はい。私が立ち上がって見たときにはゼンマイより背中がぐっと上に出ていたから。

――大型ですか。

大型のクマです。真っ黒いクマです。

――雄雌もそのときわかりましたか。

だいたい顔でわかりますね。

――そのときはどちらでしたか。

そのときは雄だったと思います。そしてサワサワっていう音で私が立ち上がったときには、だいたい五メートルのところまでそのクマは接近していました。そこでまず私は立ち上がって、「ウオーッ」と。喉からではなく腹の底から出すような声で「ウオーッ」って声を出したんです。しかし、クマにしてみれば、自分のエリアを歩いていたのでそんなに気を遣わないものだから、私の大声が聞こえなかったんですよ。それでまだ頭を下げたままでした。

クマは草の中に頭を下げて歩く動物だから、頭はまだ草の中にあって下を向きながら私の方に接近してきた。一回目の声のときはまだ接近し続けていて、もうだいたい四メートルくらいまで接近してきた。そこまで近くなると「オイ、オイ」といったような焦った声は禁物です。ワッて犬が吠えるような声も駄目です。それで人間も落ち着きを見せて、クマに落ち着いているよと知らせるために「ウオー」って言った。そして間を置いてまた「ウオー」って言ったんです。そうすると二回目のときにようやく、ウッと止まって、草の中からひょっと覗くようなそぶりで私を見た。

そのときはクマ特有の上目づかいでキョロキョロッと見る、そういうときにまず第一に落ち着いてクマを人間の方から観察する。このクマは一頭か、親子連れか、それを見極めるのが先決なんです。そして大型のクマにはほとんど子連れはいないんですよ。ですから大きければ恐ろしくない。大きいクマだと知るだけで私の場合は少し安心なんです。ああ大きい、よかったなと。

大きいクマは安心

——大きいと安心というのは、どういう意味ですか。

大きくなるまで、悪さをしないで育ってきたんだな。だから大きくなったんだなって思うんです。大きさがそういう目やすになるんですよ。そういう考え方があるから大きいクマほど安心なんですよ。

——そこまで歳を取ることができたということは、そのクマも立派な生き方をしてきたというふうに見るわけですか。

そうです。私たちはそういう考え方なんです。今でもその通りだと思って信じています。人を襲ったりするクマは比較的大きいものはいないです。それで私が「ウオー」と言ったら、キョトンと私を見て、私を見たけれども私は銃もない、籠《かご》一つです。そういうときでも「逃げるなよ」と私が言う意味は、逃げると弱いということを相手に知らせることになるんです。自分はあんたより弱いっていうことを相手に悟られてしまう。だから逃げないで、とにかく絶対逃げないで相手の動作をゆっくり見る。真正面からこちらは立った姿勢で。そして体を揺り動かさないんです。棒立ちに立ったら動かない。動かない姿勢で相手をじいっと見て「ウオー」と言う。

——目をそらさない。

目は絶対そらしません。二回目の声を出したときに、相手もはじめてボーンと立ち上がったんです。クマが立ち上がったのは襲うために立ち上がったのだとよく錯覚するんですよね。

——普通はそう思いますよね。

ところがそれはクマの側では自分の安全を確認しているんですよ。周囲より高く立って自分の視野を広くする。広くすることによって声を出した人の他にまだ人がいるのかいないのかとクマは確認しているんです。ですからクマの動作をそこら辺まで読めると焦らなくていいんです。そしてグワーと立ち上がったら、人間はクマから絶対目をそらさないでいると、クマの方が逆に目をそらして周囲をヒュッと見回します。そうしてクマが立っても、まだそれでも去ろうとしないときにはまた声を出すんです。

——もう一回。

はい。それもしばらく見ていて相手が立ち去ろうとしないとき「ウオーッ」と。声を出すとクマは周囲を見て、これでこの人以外に他の人間はいないんだなということをクマは考えて、それで自分の逃げる方向を定めて逃げます。ですからクマを知っていれば、私はクマは怖い動物ではないと常に話すんです。そして、なぜそんなにクマが怖くないと断言するのかというと、これからのお話のあいだにそれを証明する場面が出てくることでしょう。

——クマに出会ったら逃げてはいけないということは、誰かから聞いたのですか。自然に自分で知ったんですか、それとも先輩の話を耳にしたとか。

それは子どもの頃に聞いた「クマに追われたら背中を出して逃げるんでない」っていうお話、アイヌのウエペケレ（昔話）の中にあるんですよ。そういう話を聞いている。そして狩猟も小さいときからやっていて、そういう動物についてある程度知識をもっていたので、あまり怖くもないし声が自然に出てきたと思います。

大声を出せ

——声の方は自然に出すことを覚えたのですか。

はい。

——だけど、誰かから聞いたということは考えられませんか。

そうですね、逃げないというお話はウエペケレ（昔話）の中にありますが、大きな声を出したのは自然であったと思います。

——逃げてはいけない、後ろを見せてはいけないということはウエペケレで伝えられたことでわかっていたわけですね。

そう。後ろを見せないということは山の仕事が多いので、クマに襲われた人たちの状況を何回も聞いているので、そのつど私は判断をしていたんですよね。そしてそのつど、あの人は逃げたからやられたんだ。あの人は声を出せばよかったとかって、当時大人の人たちも話をするし、逃げたって彼らの足の速さが上です。山ですからやっぱり逃げない方がいいということは私は考えていました。

——声を出すというのは先輩たちのいろんな体験談を聞いているうちに自然にしみ込んでいたんですね。

そうですね。

クマにアイヌ風のあいさつ

——クマに話しかけることがいいということがよく言われるんですけど。それはどうでしょうか。

カルシカル（キノコ狩り）に入るときは当然雨が降っているときなんです。木を叩いて木に振動を与えることによってキノコが生えてくる。昔は今と違ってクマがたくさんいたんですよね。我々の住む千歳の山はミズナラの豊富な山ですから、クマの餌のドングリがあってクマの寄り場としてクマが非常に多かったんです。

特にナラの木にはキノコが出るということで、キノコ採りに行ったアイヌのおばあさんが、風倒木のそばを通ると、その当時、人が入ることはほとんどないからクマが風倒木の陰に寝ていたんです。そこへおばあさんが突っかけてしまった。私も経験があるんですけれど、それでもクマはすぐに飛びかかっては絶対にきません。そしてまず風倒木に半立ちに立ち上がって人をにらみつけて「ファゥ、ファゥ、ファゥ」って、そして歯ぎしりがギリギリギリ。

——歯の音まで聞こえるんですか。

歯の音がガチガチガチっと。その怒る、「ファゥ、ファゥ」っていう声と歯ぎしりがすごい音をたてるんですよ。そして人をがっちり睨んで。人を睨んでいるときに目をそらしたらやっぱり駄目だと私は思います。絶対私は目をそらしません。そしてそのおばあさんの話に移りますが、そのおばあさんも逃げないでいた。そのアイヌのおばあさんはパキサラ（口の周りの入れ墨）をしていて、アイヌの習慣をしっかり身につけていた人で逃げなかったんですよ。そしてオリパク（かしこまる）というアイヌの言葉があるけど、遠慮するという意味で、相手を高く見て自分の方がへりくだって遠慮するという意味に当てはまると思うんです。オリパクしてエトゥフカラ（うつ向いて鼻の下を手でぬぐう所作を伴った女性のあいさつ）をした。それをして黙って座っていた。要するにそこまでアイヌのおばあさんが遠慮したんです。カムイ（クマ神様）に申し訳ないっていう意味なんですね。

——私はあなた様、カムイに対してオリパクしてますよということを動作で示したんですね。

そういうことなんですね。そうしてオリパクしてかしこまって、そのおばあさんは座っていたんです。クマは「ファゥ、ファゥ、ファゥ」と言って今にも飛びかかりそうに睨んで怒っていたけど、そのうち去って行ったということです。だからそういう話を聞いても、クマは肉食動物のようにすぐ人を襲う動物ではないんです。私は猟に出てクマを獲ろうとして襲われた経験もいろいろあるんですけど、その経験からしてもそんなにクマは気の荒い動物ではないと思っています。

——いきなり人間に襲いかかってくるような動物ではないと。

はい。私はそう思っています。

——そのおばあさんは話しかけたりはしなかったんですか。

しなかった。オリパクしていたんです。

——話しかけるということは昔の話の中で聞きませんか。

私たち蘭越《らんこし》アイヌの中ではあんまり話しかけるようなことは聞いていません。それからクマがどういうものを嫌うかというと、昔からヘビを嫌うんですよ。今と違って昔は生活するのには何でも現地調達、山では山にあるものを食べていた時代の話なんですけど。トゥレプ（オオウバユリ）の澱粉《でんぷん》を採ってアイヌの人びとはそれを食べていた時代があったんです。そしてトゥレプ採りに行くのは、だいたい実って澱粉をふくむ時期、七月に採るんですけど、採りに行くのは男の仕事でなく女性の仕事ですから、おばあさんだけでなく子どもを持った奥さんたちも行く。そういうときに女の人がたは、山へ入るときに子どもも一緒に背負って行く。幼い子どもを置いて仕事をするときは、子どもを寝かしつけておいて、寝かした周囲に縄をまわしておくんです。

タラをまわす

——タラ（背負い縄）ですね。

はい。自分の背負い縄をまわしておくと、これから中へ入ってはいけないよというクマに対する警告にもなるし、その縄が魔除けにもなる。アイヌはすべてを神に委ねて生きてきた人ですからそういう習慣もありますね。

——クマに出会ったときにタラ、背負い縄を投げつけると、ヘビだと勘違いしてクマはそれと格闘したり、それに対して注意を払っているあいだに逃げるという話を聞いたことがあるのですが、それはどうですか。

それはあります。これは千歳にあった話なんですが、トメばあさんといって、山歩きをして山菜を採ったりキノコを採ったりマイタケを採って、それをさばいて生活していたおばあさんがいるんです。そのおばあさんがどのように山でクマと対応したかというと、いつも持って歩いていたのは、自動車の窓の縁に入っているゴム。それを必ず籠《かご》に入れて歩くんですよ。

――車のガラス窓のパッキングですね。

はい。そのゴムっていうのはシナシナしてヘビに似て見える。それを持って歩いて、それをクマに追われたり出くわしたら振り回す。そういう対応をしていたおばあさんがいましたね。

――やっぱりクマはヘビを非常に苦手とするという習性を利用しているんですね。

それはそうですね。

クマに向かっていったおばあさん

――他の地域で、クマに出会ったときに話しかけるというのは聞いたことはありますか。トメおばあさんはパッキングのゴムをヘビの代わりに使ったわけですね。その人は話しかけるとか声を出すという方法は取らないのですか。

トメばあさんは山ばっかり歩いて、山の仕事で収入を得ていた人なんです。ある日、その人の姉さんをつれて山に行ったが、姉さんはあんまり山に入ったことのない人だった。行ったのは千歳に近い山なんですけど、並んで歩くんじゃなく少し離れてキノコを探して歩いていたら、そのうちに姉のほうから「フォーフォー」って蚊のなくような声がしたそうです。何か変だなと思って、ひょっと振り向いたら姉が自分のほうに向かって一生懸命走ってくる。走ってくる姉を見たらその後ろからクマが夢中になって追っかけている。

山に慣れたおばあさんは、そういう道具を持って歩くくらいだから対応策は知っているんです。「逃げるな、逃げるな」って言って、逃げるなという声を先にかけているんです。「逃げるなー、声掛けれ、声掛けれ」って。やっぱり逃げないで声を出したほうが勝ちだっていうことは知っているんですよね。

――その経験豊かなおばあさんが、自分のお姉さんに対して言ったと。それでお姉さんは止まったんですか。

姉さんは腰が抜けているような状態で走る。そして声も出ない。蚊のなくような声で妹の方に向かって走ってきた。そしたら妹の方から逆にそのクマに向かって、姉を助けに向かうと同時にクマに向かって走ったらクマの方が立ち止まった。そしてクマの方が退散した。

――そのときにゴムは使ったのですか。

それは出しませんでした。

――そんなふうに向かって行くことでクマは立ち止まって退散するんですか。

まずクマから逃げるというより、クマに向かうという方が私は効果的だと思ってみています。

――クマが追っかけてくるのに、そこに向かって行くっていうのも、すごい勇気のいることですね。

だけどこいつは弱いとみてクマが追ってくるときに、反対に人間に向かってこられると逆にクマはおびえてしまうのではないかと思うんです。

――なるほど、そうやって追っかけている最中にこっちからガッと向かうとクマは立ち止まるわけですね。

そうですね。私も何回も襲われた経験がありますからそれは理解できるんですよ。

素手で八回クマと

――生涯の中で単独で四〇頭近く、全部で六〇頭近くクマと出会っているわけですけれども、それ以外に銃を持たずに素手で至近距離で出会ったのはだいたい何回くらいあるんですか。

八回くらいありますね。素手のときで一番近いのは四、五メートルくらい寄ってきたときがありました。そのときのクマはすごく大きなクマなんですよ。だけど初めの頃だったら私も腰が抜けただろうけど、もうクマのことをだいぶわかっていましたから、四メートルくらいまで来たとき、私はキノコ採りに行っただけなので武器を持たないで籠《かご》をかついだだけでした。

クマに話しかける

——カナダやアメリカなどの国立公園のレンジャーはクマに会うことが多いんですけど、彼らはクマと出会ったときには、話しかけながら後ずさりする方法が有効だというのですがどう思いますか。

話しかけるということは、その人間に余裕があるということだね。そうやって話しかけたり声を出したり、その声が続いているっていうことはクマにもいらだちを静める効果は出ると思う。

——相手の気持ちをなだめる効果になっているということですね。

そうだと思います。

——だけど、「ウオーッ」と声を出すのは相手にいらだちを逆に与えるのではないかと思うんですけど、そうではないですか。

いや、「ウオーッ」というのは相手を圧倒する気勢を示すんです。人間の方から。それだけ声で圧倒する力を相手に見せてやる。これは必要だと思うんです。

——ただ素人なんかそう言われても、第一声が出ないですよ。

出ないのが普通だと思いますね。

逃げ足の速い人が襲われる

――だって、もう怖くてしょうがないのに声を出せって言われても腰抜けみたいな声しか出ないと思うんです。だから気の弱い人に対してはその忠告はちょっと酷じゃないかと思うんですけど。

そうですね。それからたとえば死んだまねをして助かるということだけど。それには一つそれなりの意味があるんではないかなと思う。昭和に入ってからのことなんですけど、七、八人の営林署の作業員が朝、山に向かって行ったらクマと出くわして、クマに出くわしたら逃げるという心理が誰しも一番はやいんですよね。そして「ワァー、クマが出た」って言って逃げた。若い者は足が速いからどんどん逃げる。そして林道ですから半分が崖場になっている。そしたら足の弱い年寄りは倒れてひっくり返った。そのとき一人だけ襲われてクマに殺されたんですよ。七、八人のうち誰が殺されたのかっていうと、なんと一番足が速い人、一番先に逃げた人だった。だからクマは転んで倒れた人を襲うのか、といったら、そうじゃなくて逃げて先に行った人を襲う方が多いんですよ。

――逃げた者を追いたいという本能があるんですか。

そうだと思いますね。そして同じく山での出来事なんですけど、支笏湖《しこつこ》畔に当時住んでいた人が、マイタケ採りに登って行ったんですよ。そうしたら門別《もんべつ》岳の上の方からクマが下りてきた。クマが下りてきたというので、その人は逃げた。そしたら逃げるからクマは追いかける。逃げなければ追わないのに逃げるからクマは追いかける。そして、その人は木の周り、直径一メートルもある太い木で、その木の周りをグルグル回った。そして人間の逃げる足が速くて追いかけるクマの後ろにドンとぶつかった。そうするとクマはサッと反転して、そしてすぐ人間を襲ってしまった。そしてドンとぶつかって人間は仰向けに倒れるでしょう。そしたらその人にがっちりまたがって「ハウッ、ハウッ、ハウッ」って。目の上でクマが怒っている顔が見えて、よだれがタラタラと落ちてきた。そして、すぐにかじり殺すかといったらそうではないんですよ、クマって。

死んだふりより腰抜かせ

――クマはそこまでしてもかじらないんですか。

だから肉食動物とクマはやり方が違うんですよね。「ハウッ、ハウッ」って怒って、その人は観念してがちっと目をつむって一つも動かないでいた。その動かないでいることが死んだふりをしろっていう意味につながるのかもしれないんですよ。

そうやって動かないでいたら、クマは立ち去りながらドーンとその人の胸を一発叩いた。もうこの人間は死んだんだという感じでクマはボンと叩いてバサッと跳んで行った。

そしてその人は、黙っていたら全然音がないから、ああもう行ってしまったな、よし帰ろうと思ってひょいと起き上がったら、そばにクマが座って見て、番をしていたって。その人が起き上がったのでまた飛びかかってきた。

音を残さないで立ち去る技を知っているのはクマだけなんです。どんな笹やぶでもせいぜい二回バサバサって音をたてたらもっと先に行っているんだけど音はたてないんですよ。だからそういうときに行ったと思って動いたらダメで、動かないでクマがあきらめるくらいの時間をかけていれば、クマの方が立ち去っていくんですよ。

その人の場合はああ行った、帰ろうと思ってすぐ起きたらそこに座って見ていたクマがまたかぶさってきた。前のように動かなければいいのに今度は少しでも逃げようとしてもがいた。そうしたら動くところ動くところをクマはかじるんですよ。

山の人は地下足袋《じかたび》というのを履いているんですけど、地下足袋もかじって脱がされて、かかとの骨も出ちゃった。それでも顔面はかじられなかったんですよ。そして動かせば動かすところをかじるから、今度は前のようにじっと動かずに我慢していたそうです。そしてじっと我慢していたら、やっぱり立ち去るときにドンと一発叩いてまたバサッと音をたてて跳んだ。

一回目にそういう目にあっているから、今度は確認しようと思って、その人は気を失う程のやられ方でなかったからじっと辛抱していた。そしたら、ガサガサって山に登って行った音が聞こえたそうです。

登って行った音が聞こえても、それでも止まって戻ってきたら困ると思っていたら、やっぱり中間で一回止まった音がした。そしてしばらく寝ていたら上まで行ったかすかな音がしたので、起き上がって走って戻って来たということです。

当時はまだ道がついていない時代の話だから、石原を走ってきた様子を見た人は、血まみれの団子のような足が走ってきたっていうんだから。かかとの骨が出ているのに無我夢中だから痛さを忘れて走ってきたんだね。そうやってその人は助かっているんですよ。

——そうすると、死んだふりをするっていうのも全く根拠がないわけじゃないんですね。

そうですね。まず動かないということが重要です。

——しかし、クマと出会ったときに、いきなりそこで寝て死んだふりをするっていうのはどうなんですか。

いや、それも私は言うんですよ。どうせ逃げたって、林道を走ればクマは六〇キロも出るような足の速い動物だから、逃げても逃げきれることはないんだから、あきらめて「座りなさい」と。「腰抜けなさい」と言うの。腰抜けたら動けないんだから、彼らは抵抗をしないものにはかからない習性があるから。

——抵抗しないものにはかかってこない。ただ動物の習性として自分より体が小さくなるっていうことは、後ろを見せるのと同じで弱いということを示すことにならないですか。

うん。それはあるかもしらんけど、彼らは動くものにはどうしてもかかるという習性がある。だから動かないようにする。私が言うのは寝て死んだふりをするより、腰抜けてもいいから座っていた方がいいよっていうことです。

——それと棒立ちになってにらんでいるのとどっちがいいですか。

やっぱりにらんでいた方が全然いい。棒立ちでにらんだ経験は私は何回もあります。

クマはやたらに人を襲う動物ではない

——それだけでもいいわけですか。

はい。棒立ちでずうっとにらんでいると相手もかなりこっちを見ているんですよ。それでこっちも全く動かないで逃げようとは一切しないでいる。クマが見ているのは、この人には敵愾心《てきがいしん》がないかどうかっていう判断をしているんだと思うんですよ。そうすると、あえて人をあやめる動物ではないんで、立ち去って行くんです。

——我々みたいな山のことをほとんど知らない人間が、もしも山でクマに出くわしたときに、もう怖くて大きい声も出せなかったら、とにかく目をそらさないで相手をじいっと見ながら立っているのが一番いいんですか。

たとえば腰が抜けて座っていてもいいから、相手から目をそらさないのがいいと思う。

相手の動作を読み取って、目と目でお互いに見合いっこして、相手の動きをじっと見ていると相手もこちらの動きをじっと見て、クマは「この人動かない、敵愾心がないんだな」って思う。やっぱり自分が襲われるっていうことの方が彼らには怖いんです。人を襲うときの多くは、クマの方が逆に襲われたという錯覚から襲うんですから。

――なるほど。クマはまず自分が襲われるのかどうかを考えるんですね。

私はそう思っています。なぜそんなことを断言できるかって言うと、私は昼間働いていて、夜、キノコ採りや仕掛けた罠《わな》を見に山に入るんです。そうすると当然クマのいる山の中を歩くことになるんですけど、夜道でクマに出くわしたことがないんですよ。そして襲われたこともない。だからって、クマが山の中にいないわけではなくて、いるんです。つまり、それだけクマというのは人を襲う動物ではないということが言えるんですよ。

――じゃあ、向こうはこっちが通っているのを知っているんですね。

知っているんです。そして、ああ、クマはちゃんと知っていて襲わなかったんだなあって思うんです。

――でも襲わないというのがわかる前は、やっぱり怖かったのではないですか。

やっぱりイヤだったですね。だから初めのうちは銃を持って歩いていました。

――クマが襲わないというのがわかったのは、どういうきっかけですか。

わかったのは、夜、キノコの栽培に行くようになってからです。

——夜の山では目が見えるんですか。

全く見えないです。見えないから、どこにどういう木があるかということを全部記憶していて、この木を行ったら次にこの木。この地形を行ったら、次にこの地形と。

——手で一応触るわけですか。

触らないで。触らないけどその場所へ行くと、そういう木がかすかに見えるから、その木を目やすにしていくんです。

あるとき、真っ暗な山の中で風倒木をマサカリで叩いたんですよ。木を力まかせにガーンと叩いたら、そのそばにクマがいたんです。それまでクマの方は目が見えているから、この男何しに歩いているんだろうと思っていたのだろうと思うんです。私はそのクマの横を通ってきたんです。そして私が木をいきなりドーンと叩いたらワサワサーッとすごい音で走ったんですよ。私も一瞬ひるみましたよ。正直言って。それも一頭ではなくて三頭もいたんですよ。二歳仔を連れた親だった。

——なんでわかるんですか。見えないのに。

後でわかったんですよ。でも音だけでも親子だっていうことはわかった。夫婦で暮らす動物ではないから。一頭だけでなく走ったから、ああ親子だなって。親子はだいたい三頭ですから。何頭というのは後になってわかったんですよ。そのときクマの方がどれだけ驚いたものか。そういうようにクマの方が見えていたのにクマが驚いて逃げた。

その三頭がすごい勢いで逃げていったとき、私も一瞬考えた。私は帰ろうかなあと思ったんですよ。けれど少し落ち着いて考えたら、クマが逃げたのに私も逃げたらへんだと考えて、クマがこれから私の行く方向に逃げたんだから、ここで仕事を続けたほうがいいと思って、どんどん仕事していったんです。

だから、クマっていうのは、めったなことで人を襲う動物ではないと思った。それに私は夜ばかり歩いてクマのいる巣のある、足跡がいっぱいある中ばかり歩いていても、一回も襲われたことがない。クマの方が私を見ているということは知っているんですけど。

ホパラタは行うか

――ところで、アイヌ民族の伝統的なクマと出会ったときの対し方ということで、たとえば知《ち》里真志保《りましほ》がホパラタ（魔を祓《はら》う所作《しょさ》）というのを紹介しているんですが、ホというのは「陰部」、パラというのは「広げる」、タというのは「打つ」という意味で、着ているものを広げてそれで陰部の部分をあおるようにして打つ、つまり陰部を露出させてクマを追い払うというようなことが出ているんですが、こういう所作はしたのでしょうか。

それは聞いたことがないですね。

——効果としてはどうなんでしょうか。

うーん、まったくその部分は無知だなぁ。

——たとえば、そのときクマの側からの見方で、「ホパラタしながら、男は天ほどのものを我に向かって露出し、女はパシクル（カラス）ほどのものを我に向かって露出し、我に向かってホパラタした」という言葉が記されているんですけれども。

蘭越《らんこし》も昔はほとんどアイヌ民族ですけど、その人たちの中でそういう話は聞いたことないです。

——ただ、私が鵡川《むかわ》で聞いたのは、これは魔払いの一つの方法だと知里真志保も書いているんですけども、馬車が竜巻に出会ったときに馬が驚いて立ち上がったんです。

そのとき、馬車に乗っていたおばさんが前をはだけて、陰部を露出してバタバタとあおいで魔払いの行動をとったのを、私の知っているアイヌの女性が見たと言うんです。今生きている人でもそういう所作を行ったのを見たと話してくれたんですけれど。

私の隣にいたおばさんは、やっぱりパキサラ（口の周りの入れ墨）をした立派な人で、この人が山でクマと出会ったときの対応の仕方はオリパク（かしこまる）だった。オリパクしてエトウフカラ（女性のあいさつ）して、じっとしていたら、クマの怒りが静まって、行ってしまった。そういう例は知っていますが、そのホパラタは知りません。

タバコの匂いを嫌う

――それから、タバコを吸うとクマよけになる、ということは聞いたことありませんか。

ありますす。山に暮らしていた人たちはみんなやっていました。クマは鼻がいいから、タバコの匂いで、ああ人間がいるなって寄ってこないんです。だから軍手をいぶしてみたりもしました。

――東北のマタギが、クマと出会ったときどのようにするかということで意見を述べているんですが、その中である人は帽子でもリュックでも何でもいいから身の回りのものを投げろ。クマというのはなぜかわからないけど最初に投げられたものに噛みつく習性があるんだと。それに噛みついているあいだに逃げる。さらに追って来たらしつこくものを投げる。それを繰り返しているうちに逃げきれるだろうと言っているんですが、どうですか。向こうはツキノワグマで、こちらのヒグマとは少し違うかもしれませんが。

うーん。それがね、投げるものを豊富に持ち合わせていればいいのさ。

――普通持っているとしたらせいぜい帽子とジャンパーとリュックくらいでしょうね。だんだん裸になったら食われやすいかな（笑）。

リュックを投げるのはよくない

——たとえば、あるクマ対策のパンフレットには「食べものが入っているリュックがあればクマの気をそらすために足元に置いて引き下がる」とあるんですが、これはどうですか。

それはあんまり効果ない。もし、いやしいクマだったらまた欲しくなったらまた来る。そういう習慣性をつけてしまう。

——クマがリュックの中の食べものを探しているあいだに逃げるというのはどうなんですか。ふつうはそこにクマが飛びついたら「今だ」って逃げようと思うでしょう。そういう方法はどうですか。

だけどやっぱり、その場一回はしのげても次の被害者が生まれるから、決してほめたことではないと思います。その人の場合だけ、その人が助かるチャンスがよしんばあったとしても、そういう習慣をクマに植えつけるということはよくないです。

——そしてこうも書いてあります。「クマが襲いかかってきたら地面に伏せて身を守る姿勢を取る」。そして、その姿勢も描いてあるんです。「この姿勢はアメリカのパンフレットなどに見られるクマに襲われたときの防御姿勢」といって首まわりの頸動脈をかばうような形で伏せた形を取っています。

それらはあんまりよくわからないんですけど、人間が相手に抵抗しないんだよということにはつながると思います、動かないのは。「逃げるんなら腰が抜けた方がいいよ」っていうことをよく私は言うんです。腰が抜けるということは動かないんだから。やっぱり今まで山で働く人たちのいろいろな話を聞いても逃げる人が一番よくないですから。

――ところが別の本には、死んだふりはよくない、死んだふりはよくない、もてあそばれてしまってかえって傷を受けるから死んだふりはよくない、って書いてあるんですが。これはどうですか。

その状況によりけりということだろうね。

死んだふりに根拠はあるの?

――その本では、こういうふうにも書いてあります。「死んだふり」ということについて「クマに出会ったら、死んだふりをするとクマは人に危害を与えず立ち去ると昔から言われているが、これはまったく何の根拠もない間違った対処法である」と。これに対してはどうですか。

やっぱり、逃げることより腰が抜けても動かない方がいい。クマは見ていますよ、しばらく。クマの方がよしんば寝ていて、クマの知らないときに人間が接近したときはすごい怒りますよ。歯をガリガリって怒るけど、やっぱりそういうときでも走って逃げない方がいい。

――それから、ある東北のマタギの意見で、死んだふりをするより逃げた方がいいって言ってるんです。それでどうやって逃げるかっていうと、クマは下りに弱いので若干腰が引ける感じでスピードが落ちるから、クマに出会ったら下に駆け下りるといいって言ってるんです。

いや、それは賛成できない。全くできないです。野生のクマが坂だから崖下りだからって、できないことはないんですよ。スピードは全然落ちないですよ。

――しかもこうも言ってるんです。右斜め上に逃げるといいって。クマは右斜め上に逃げるのに対しては弱いんじゃないかって。

それは右でも左でも関係ないと思いますね。やっぱりそういうところまで行って追い詰められたら、そんなに骨折って逃げたって最終的に食われるんだから。それだったら大声を出して動かない方がいい。どうせなら腰抜けて動かない方がいいと思う。

――でも、腰を抜かしていたり棒立ちになって声を出していたら、やられちゃうんじゃないでしょうか。

いや、向かってきてもすぐに飛びついてはこないんですよ。もし向かってくるクマがいるとすれば、それは平均的に若いクマですね。多くは三歳くらいの若グマです。

――じゃれつきたいというか半分遊びの気分が残っているからですか。

何ていうか、今の中学生が「いがる」（つっぱりのように相手につっかかる）ように、いがってみたいんでしょうね。少し肩でもいからせて。

――ちょっと相手をおどかすような。

そうそう。

――そんなクマに出会ったら、ただ棒立ちになって声を出しても、やられてしまうでしょ。

うん。やっぱり声を出して最後まで抵抗する。何か持っているものを振り回すとか。

柴で抵抗する

――素手じゃもうかなわないですよね。

素手より私が思うのには柴《しば》が一番いいんですよ。棒はあんまりよくない。

――細かい枝が付いている木の枝ですね。

そう、固い棒では私の経験ではよくない。昔、私は映画の撮影に協力したことがあるんです。それは、ツキノワグマだったけどね。そのクマを檻《おり》から出すのが私の仕事だったんですよ。そのとき、ある人は「クマが檻から出て山を見たら、山へすぐ逃げて行っちゃう」って言うんです。私は「このクマは飼われていて山を知らないクマだから、いってみれば都会人と同じなんだから、山を見たら怖くて山へなんか入らないよ」って言ったら、「等《ひとし》さん、そんなことない」って言い張るんです。映画ではクマの足跡を見つけたハンターが追いかけて行って射止めたというシーンを撮りたかったらしいんです。そこで、檻のふたを全部開けたらクマは一番奥に引っ込んで、ぴったりひっついているんですよ。しようがないから前からロープで引っ張ってもらって、私は後ろにまわって棒で押してようやく出した。そうしたらクマは山へ逃げていくどころか、今度は、私に寄ってくるんです。一番かまうのは私だから、私に頼るんですよ。それで私のそばから離れないの。

——危なくないんですか。

危なくないです。そういうことは心配しないです。檻から出たからって危なくない。すぐ嚙みつくような番犬よりは、かえって楽ですよ。

——でもその周りには映画関係者も来ていたわけでしょう。そういう人たちは恐れなかったですか。

そういう人たちはずっと離れてカメラを持っているだけだから。とにかくこのクマを檻から出すのは大変だよって私が言って、檻からようやく出したんですよ。檻から出したら、私のほんの近く、一メートル半くらいそばまで寄って、黙っていればくっついて来るんですよ。そんなことをしたら映画にならないから、クマの足跡と人間が一緒に映ったら話にならないから。私はそのクマが怖くないので、棒の長いのを切ってきて先を削って尖らして、痛い目にあわせれば離れるだろうと思ってすぐそばまで来たときに突っついたんですよ。

ところが突くとクマは逆に俺の方が強いぞという態度にでて、私に向かってきた。「あっ、これは駄目だ」と思って。「こういう棒では駄目なんだなあ」と思うから、細い柴、枝のたくさんある長いやつを枝を払わないで、それをナタで切ってきて、今度は痛い目にあわさないでシュッ、シュッと鼻の前で振ったんですよ。すると、それは嫌いなようでした。そうすると顔をそむけて寄って来ないんですよ。それで、できるだけクマと私との距離をつくった。私との距離は三、四メートルくらいでした。それでも、それくらい離してやったらやっぱりカメラマンは上手だからうまくクマだけを撮りました。

――結局、棒よりもたくさん枝が付いた柴の方を嫌うわけですね。

ずっと嫌います。

――柴のようなものだったら山にいくらでもありますものね。

クマは竿を越えて近づかない

それから、畑を耕すクワがあるでしょ。そのクワを放さなかったから助かった例もあります。その人は、そのクワをガラガラと引きずってクマから逃げた。そのように引きずるものがあると、クマはそれを跳び越える習性はないんですよ。ものを引いて歩いて実際に大丈夫だったという例は他にもあります。

クマは引っ張っているものを跳び越えては来ないんです。紋別《もんべつ》林道というところに魚釣りに行った人がいたんですよ。アメマスの四〇～五〇センチのものが釣れるものだから、それを釣りに行って、捕った魚の口に通して竿を持って川から上がって来たら、フッフッていうから見たら、クマが後をついて来ていた。魚をぶら下げているから、それが欲しいんです。とにかく魚が欲しいからついて来たと、私はそう考えるんです。

エサが欲しいんだけど、人がなかなかエサを置かないしどんどん行くから、クマの方はエサ欲しさに後について来た。その人は釣り竿をたたむヒマがなかったので竿を引きずりながら逃げたんです。そうすると、クマは、ついて行って釣り竿の先までは来るけど、それを跳び越えてまでは来ない。だからそういう習性があるんです。

——その両方のケースは、逃げていますが、それはどうなんですか。

両方とも逃げているけど、結局釣り竿を引っ張ったのが原因で命を守ったんです。クワを引っ張っても同じで、それを跳び越えて襲うということはしないんですよ。

——その場合、逃げないで釣り竿をそこで振り回すのはどうですか。

それでもいい。

——それでも向こうがまだかかって来るようだったらどうしたらいいんですか。

釣り竿を振り回してクマに大声を出していたら、あとは根気の強い方が勝ちですね。クマの方が根気負けして、これ以上いても魚をくれないなと思ったら向こうが立ち去ります。

——姉崎さんだったらどっちを取った方が有利だと思いますか。

私は逃げるより声を出して相手を撤退させて安心した方がいい。

——クワを引きずりながら後ずさりというのはどうなんですか。それもしないほうがいいですか。

やっぱりものを引いて後ずさりで静かに逃げるということも一理あるけど、そこで逃げないでいられる度胸があれば逃げない方がいいと思う。

ベルトを振りまわすのは有効

——ただ、不良じみた中高生みたいな若いクマが突っかかってきたときに、それに対して逃げないでクワ一つで応戦するのはなかなか難しいんじゃないかと思うんですが、それでも立っていた方がいいんですか。

手ぶらより、ものを持っているといい。何もなかったらベルトでもいいから振りまわしていれば。そういう長いものがあると嫌うからね。ベルトなどを振りまわしたり動かしていることは効果がある。

——それを投げたらよくないんですか。

投げたらそれっきり動きがなくなる。やっぱりその人の手元にあるから気持ちが悪いんですよ。そういう実験は登別《のぼりべつ》のクマ牧場でもしています。クマはヘビだと思うのか嫌がります。

Tシャツを燃やして助かった

——それと、そういう長いものがなくて、ジャンパーなど上着を脱いでそれを振るというのはどうなんですか。

その時々の対応でいろいろあるんです。千歳であったことなんですけど、釣り人が川で釣りをしているところに、クマが出て来て釣り人にどんどん向かってきた。その人の場合は、Tシャツを脱いで、向かって来るからしようがなくてTシャツを振りまわしたけど駄目で、脱いだTシャツにライターで火を点けたんですよ。火が点いてボーッて燃えたらクマが逃げていった。

——Tシャツを振りまわすくらいじゃ駄目なんですか。

何もしないより抵抗したほうがいい。単に逃げるだけだったら、弱い証明だからね。

——声を出しながらTシャツでもいいから振りまわしてみるとか。

そうそう。

——ただちょっと心配なのは向こうを怒らせるんじゃないかということがあるんですけど。

怒るということでは、私がやった棒で突っつく、あれはちょっと問題があると思う。相手を怒らしてしまった。

——尖ったもので突くというのは相手を怒らせてしまうわけですね。そこまではやらない方がいいわけですね。

そこまでやると「冗談じゃない、俺の方が強い」っていう気をクマに起こさせる結果になると思う。だから、相手の嫌うことをやってもいいけど、怒らせるまでのことは避けた方がいいと思います。

ナタは経験者が使えば有効

――ちょっと前までは山に入るときはナタを持っていきなさい、それから音の出るものを持って入りなさいってよく言われたんですが、たとえばクマに出会ったときにナタを振りまわすというのはどうですか。

そんなものを振りまわしたって、クマから見れば素手を振りまわしているのとそんなに変わらないから。

――ナタでは全然かなわないですか。

そんなものかなわないです。クマの一叩きというのは馬でもガバッと倒すだけの力があるからね。ナタを持っていたからってそんなもので少しくらい傷つけても、向こうの動作の方が速いですよ。

猫が身軽って言ったってクマは猫以上です。前足を振り下ろして襲って来る速さというのは。ナタくらいだったら人間の腕とたいして丈《たけ》が変わらないからね。

――だけど一昔前はナタを持って入れって言っていたんですけど。

それは何ももたないよりは精神的にカバーできるんだと思います。それと、よほど経験を積んだ人でないとナタで立ち向かえないですよ。

――ナタで助かったという人はいないんですか。

ナタで助かったという人はいます。昭和三〇年頃の台風で木がたくさん倒れたとき、苫小牧《とまこまい》営林署の職員が山へ入っていたらクマが出てきたんで木に登って逃げた。本当はクマが出てきたら木登りは駄目なんですよ。クマは木登りが上手だから。そのときも木登りしたら引きずり降ろされて……。

クマは木登り上手

――人間が木に登ったら駄目だということですね。

はい。彼らはとっても上手なんですよ。フーッとクマは立ち上がって、その人は引きずり降ろされて。降ろされた瞬間に倒されてしまうから。彼らは人間が倒れたからといってすぐにかじるかといったら、そういう習性はないんです。

まず馬乗りになって、怒って口を開けて。人をかじるような動作でね。上から被《かぶ》さって。そして顔面めがけてよだれがタラタラって顔中にかかったって言うんだ、その人たちの話では。

もがいているうちに営林署の職員だからナタをぶら下げているんです。それを引っこ抜いた。ハウハウってやっているけどなかなかかじらないから。そして、その人がナタでクマの眉間《みけん》をぶっ叩いたらその一撃でクマの方が驚いて逃げちゃったって。

――それで反対に逆上させるということはないですか。

いや、弱いと思っていた人間から自分が予想外の反撃を受けて、ひるむんだと思う。

クマを避ける方法、ペットボトルの音

――では、クマに出会わない方法としてはどんなものがありますか？

私が一人で山を歩いているうちにクマの一番嫌いなことを見つけたんです。空のペットボトルを押して出る音をクマは嫌います。だから自分が寂しいところを歩いているとき、たまにペットボトルを押してペコッペコッという音を立てていると、この音を嫌うからこの音で向こうが避けてしまいます。

――昔だとペットボトルのないときはどんな音を嫌ったんですか？

鈴を鳴らせとか空き缶を叩けとか、ラッパを吹いて歩けとかは、昔の人はよく言ったんですよ。

――それからピッピっていわれている笛があるでしょう。

うん。今まではそういう笛を吹いて歩いているんですよ。ただ、それがあるからクマ

が逃げるかというと、そうではないです。音を出すということは人間様が歩いているよ、ここに人間様がいるんだよっていうことを彼らに早く知ってもらう、それが大事なんですよ。ところが、ラッパの音、ピッピの音もいいんだけど、もう大分その音には慣れてしまっているんです。今のペットボトルの音はクマには不思議な音なんですよね。「痛くもなきゃ痒くもないし嫌な音だなあ、聞いていると嫌な音がするなあ」と思っているんでしょう。こういう音というのは彼らには気味が悪いんです。

——笛のピッピとか空き缶を叩くガンガンはもう慣れているから、逆にあんまり有効性がなくなってしまったっていうことなんですか。

あまり有効性がない。それから鉄砲も千歳のクマでは駄目です。これは地方にもよると思うんですけどね。千歳の自衛隊は演習でバンバンやっているから。だから十勝《とかち》の方の然別《しかりべつ》演習場のシカも鉄砲の音に慣れています。然別の演習場内にはシカが入っているんですよ。

一般の山で鉄砲をドンと撃ったら全部逃げてしまうんです。ところが然別は音に慣れ過ぎているものだから、撃たれたシカは倒れるんだけど弾の当たらないシカは知らん顔している。

私は、千歳のクマの防除隊《ぼうじょたい》の相談役だったんでクマの相談をされることがあるんです。そこで私は、鉄砲の音では駄目だよって言うんです。昔は山にそんなに音がなかったから効果があったけれど、いまはもう鉄砲の音に慣れているんだと。
今のように山中に人が入っていないし車がないときなら、車の音が珍しい音だったので、車がブブーって来たら昔のクマは逃げちゃったんですよ。今のクマはそんな音を聞いたって全然逃げないですよ。そして、その地方地方によって音への反応はちがいます。

——要するに聞き慣れない音を出すというのがいいんでしょうか。

そう。私が山を歩くときに、やっぱりクマと出くわすのが嫌なときがあるから、そのときは水飲みに持って歩いたペットボトルを押してペコペコ音をたてながら歩くと、クマは来ないですよ。人を襲う気で待っているというクマはいないんです。ただ、人は来ないなっていうことでクマも呑気に昆虫を捕ったり何かをしているところへ人が突然行くと、クマが襲われたという錯覚を起こして、逆に人を襲うんです。
人が歩いているよっていうことを笛なり缶を叩くなりで教えて歩くのがいいんだって昔は言ったけど、今ではそういったものは、もう慣れ過ぎてしまっています。だから耳慣れないペットボトルのような音の方がいいんですよ。

立ち木をタテに叩く

——あとはどんな音が耳慣れないですか。

もう一つ私が山へ入って効果があると思ってやっていることがあります。細い棒で立ち木を縦に、木なりに当てて叩くと、これはビーン、ビーンとよく響くんですよ。横に叩いても音は響きません。こういうことをやって人間がここにいるよって知らせる。

特にやるのは六月だね。発情期。そうやればクマは絶対に来ないって思っています。発情期のクマというのは鳴いて歩くんですよ。モー、モーって牛のような声を出して。ずっと遠くで鳴いているなと思っていても、発情期のクマは結構歩くのが速いんです。

ある雨降りのとき、いつの間にかクマが私のそばまで来て、後ろでモーってやられたことがある。そういうときでも、棒でもって立ち木をタテに叩いてバチーン、バチーンてやると、姿は見かけなくなります。それっきりクマの方が鳴くのをやめてどこかへ立ち去っているから。

——棒切れくらいはその辺で拾えるし、それで叩けばいいわけですね。

そうですね。縦に叩くことによって響きが違うから。

クマからの警告音

——そういうふうに人間の方から音を出して、いま人間が通っているよってクマに合図を送るわけですね。

クマの方でも警戒の合図を送ってくれることがあるんですよ。

——どういうことで。

それは人間が聞くと叩いたような音なんだけど、実際は木の音じゃなくて、地面をバーン、バーンと大きな平手で叩くと、木を叩いたような音に聞こえるんですよ。そうするとこれ以上来るなっていう合図だなとわかるんです。子連れの親グマがそうやって音を出して、人間に「これ以上近づくな！」って警告の合図を送ってくるんです。

私があるとき、キノコ採りに行ったら、子グマが二頭いて相撲をとって遊んでいたんです。子グマ同士で無邪気な声を出して遊んでいるんですよ。子グマがいたら親がいる。必ず母親が見えない場所にいるわけです。目の届く場所で監視しているに違いないから、これ以上接近しては駄目だな、と思ってしばらく立っていたんですよ。そうするとやっぱり地面を叩く音がバーン、バーンとした。これ以上近づいては駄目だ、という音を出すわけです。そこで私はそれ以上接近しないで退散したことがあるんです。

ところがこのクマの警告の音を一般の人は知らないんですね。うちの兄貴の近くにいたおばさんが、一人で山菜採りに行ったんです。クマは人間が接近するとまずフッ、フーって鼻を鳴らすんですよ。それをやっているはずなんだけど、その人は自分の山菜採りに夢中になっていて気がつかずに、だんだん接近して行ったらしいんです。そしたらクマの寝ぐらの中へ入って行ったもんだから、クマはバーンて地面を叩く音を出して、声出して怒ったって。

その女の人は、自分の風呂敷も採った山菜も全部置いて逃げて来たって言うんですよ。

ずっと後になってから私はそっちの方へ行ったことあるんですよ。そうしたら、クマの足跡もあるし、その女の人の弁当の入った風呂敷と採った山菜が全部置いてあるんです。寝ぐらにこんなに接近したら怒るの当たり前だなあと思って背負って帰って来て、そのおばあさんに返してあげたんです。だからそういうことを見ていても、クマは最初から人を襲うような動物ではまったくないんだなあと思うんです。

経験豊かなクマはすぐに襲わない

――だけどその場合、女の人はどうやって助かったんですか?

そりゃ逃げたから。

――しかし、逃げるのはよくないのじゃないですか。

クマの性格によってですね、たいていのクマは追うんですよ。だけど、クマがよっぽど若グマでなく、ある程度歳をとっていたのかもしれない。そうするとそんなに追わない。そういうのは性格にもよるんですよ。だけどやっぱり逃げて一番悪いのは、若いクマのときですよ。

――追いかけてくるわけですか。

追っかけてくる。

――そういうときは、風呂敷とか持っていたものを置いていったというのはよかったのかな。

クマの気持ちをそっちに引き付けさせるとか……。

全然そんなことはない。弁当もあったけどいじってもいないですよ。クマにしてみれば人間が寄ってくるのがただイヤなんです。

――そのときは子連れじゃなかったんでしょ?

子連れ、子連れ。子連れのわりによく襲われなかったなあ、と思って。だから親の方がうんと歳を取っていたのかもしれない。やっぱりどっちかというと経験の浅いクマのほうが人を襲うから。

――とにかく子連れのクマに接近したときは、向こうからも何らかの合図を送っているはずなんですね。地面をバーンって叩くか、あるいはフッフッていう声を出すか。だからそれはやっぱり人間の方が気が付いていないといけないんですね。

そうです。

まとめ

――「クマにあったらどうするか」ということでいろいろお話ししていただいたんですが、このへんでまとめていきたいと思います。要するにクマに出会ったら、まず逃げないで、相手の目をしっかり見つめる。そしてできれば、大きな声を出して向こうを威圧する。

そうですね。

――慣れない人でも、立っている力があるんだったら棒立ちでもいい。

そう。立っている力があったら立っている。

――それでじっと目をそらさないで相手を見ている。

まあ、腰が抜けるんだったら抜けてもいいし。その方が助かる。

――ようするにクマの心理は、まず自分の安全を考えているんですね。人間に襲われるかどうかっていうことを心配しているんですね。

そうです。それから、子連れのクマがきかないというのは、我が子を取られるんではないかっていう心配からなんですよ。そして、子どもをかばうためには人間より我が子を大事にします。

――クマに出会ったときに、たまに倒れてしまうこともある。そのまま動かないでじっとしていると、クマもそんなにすぐ攻撃する動物ではないから助かることもある。つまり「死んだふり」というのも、全く根拠がないわけではないということですね。

そうですね。逃げる人よりは助かるよということは間違いないですね。

――だけど、寝るよりは腰が抜けてもいいから座っていた方がいいと。

私は座っていた方がずっといいと思います。やっぱり座っているっていうことはクマから見ると寝ているより感じはよくないはずですから。立っていればもっと効果があるけど。

――向こうにとっては、ある意味では威圧感があるわけですね。

そうですね。

――要するにクマっていうのは平和主義者なんですね。

どっちかっていうとクマっていうのは平和主義です。隣に私の母の兄がいたって言いましたが、この人たちの時代にはすごくたくさんのクマがいたんですよ。そしてクマの子をひと春に何頭も獲るから、多いときには四頭も養っていたことがある。

私はクマの近所に住んでいて、そこに行くと、クマの子というのはわりと人なつこいから、そのクマの子を檻から出して私たちはよく相撲を取って遊ぶんですよ。相撲を取って遊ぶと絶対に痛くはかじらないんですよ。爪も出さないんです。やっぱり遊びは好きなんですね。結構遊ぶんだけど、そのうち人間の子どもの方が技があるから足を掛けてドンと転ばせる。すると、クマは野生の本能があるから転がされると「オレの方が強い」って本気になる。本気になってくると、今度は爪も歯も出しますね。だからクマと遊ぶときは柔らかく遊んでやらないといけないんです。

――あまり手荒に投げ飛ばしたりすると向こうが本気になってくるんですね。

クマに会ったらどうするか、姉崎さんのすすめる一〇カ条

――それでは、これまでの話をもっとわかりやすくするために一〇項目くらいにまとめていただきたいんですが、姉崎さんのすすめる一〇カ条を教えてください。

私がすすめるとしたら、次のようなことにまとめられるんじゃないかと思います。

【まず予防のために】

一　ペットボトルを歩きながら押してペコペコ鳴らす。

二　または、木を細い棒で縦に叩いて音を立てる。

【もしもクマに出会ったら】

三　背中を見せて走って逃げない。

四　大声を出す。

五　じっと立っているだけでもよい。その場合、身体を大きく揺り動かさない。

六　腰を抜かしてもよいから動かない。

七　にらめっこで根くらべ。

八　子連れグマに出会ったら子グマを見ないで親だけを見ながら静かに後ずさり（その前に母グマからのバーンと地面を叩く警戒音に気をつけていて、もしもその音を聞いたら、その場をすみやかに立ち去る）。

九　ベルトをヘビのように揺らしたり、釣り竿をヒューヒュー音を立てるようにしたり、柴《しば》を振りまわす。

一〇　柴を引きずって静かに離れる（尖った棒で突かない）。

第六章　クマは人を見てタマげてる

姉崎さんは、しきりにクマは本来人を襲うような動物ではないと言う。たまたま襲われることがあるのは、それは、至近距離でクマと人がいきなり出くわして、クマの方が逆に襲われたと錯覚したために襲ってくるのだと言う。そして子連れの母グマは、子グマを守りたい一心で近づいた人間を追い払うために威嚇《いかく》したり攻撃したりするので、クマがいつも人を襲ってやろうなどとは思っていないのだと姉崎さんは言う。その証拠に、真っ暗闇の夜、クマのたくさんいる山の中にキノコ採りに行っても一度もクマから襲われたことがないと言う。

夜行性で、夜も目が見えるヒグマは、姉崎さんが山の中を歩いているのをちゃんと見ている。しかし、それでも決して襲おうとはしない。それは、本来クマは人を襲うような動物ではないからだという。

それでは、クマは、いったい人間のことをどのように考えているのだろうか。そして、クマは、なぜ人間のことをそのように考えるようになったのだろうか。姉崎さんにクマの心になって答えてもらうことにした。いままでおそらく、こんな質問に答えた人はいないだろう。

クマは人間が怖い

——クマは本来人を襲うような動物ではないんだと、しきりに姉崎さんは言います。ではクマは人間のことをいったいどう思っているんでしょうか。

クマに襲われた様子を見た人はよく、クマがその人間をもてあそんでいるように見えたと言うでしょう。それは、どういうことを物語っているかというと、クマは肉食獣ではないから、人を見たら食ってやろうというつもりでかかるのじゃないんだということなんです。

もし食ってやろうという気持ちがあれば、首っ玉でもどこでもすぐ嚙みつくと思います。でも、そうではなく、クマは一撃で殺さずなかなか攻撃しません。それは、本当は、「クマは人間が怖い」から手加減でなく、本当に手が出ないからだと思います。そうやって躊躇《ちゅうちょ》している様子を見て、まるでもてあそんでいるようだと言うんです。

——いきなり人の首っ玉に嚙みつくなんてことはしないんですね。

そんなことをしないのは、「クマは人間の方が強いんだ」と思っているからなんですよ。私はどうしてそういうことを言うかというと、私はハンターとして歩いているでしょう。その経験は一般の人とは少し違っていてもあたりまえなんですけど、私はクマと一メートルくらいのところに接近したことは何回もあります。

彼らは最初から逃げようとするんです。人間の方は獲ろうとするから精神的には人間の方が強いわけです。精神的に強いということは態度が強いということになります。相手を圧倒するだけの態度を見せることができます。その態度が大事であるというのは、クマと出くわしたときにクマに背中を見せるなというのがその態度なのです。

――じゃあ、鉄砲を持っているから強いというのではなく、持っていなくてもクマは人間を恐れているんですか。

はい。クマは人間の方が強いと思っています。でもクマという動物は臆病だけど自分の強さは十分知っているんです。他の動物と較べてみると。自分の強さというのは彼らが認識しているなということは動作でわかるんです。ハンターとして山へ行って、シカ猟の場合は、シカを見てハンターが鉄砲を構えるひまもないくらいシカは逃げるのが速いんです。シカの場合は自分たちが弱いということを認識しているんです。

ところがクマの場合は、俺は強いぞという態度で必ずゆっくりと見ているんですよ。ドタドタと逃げないで。「俺に向かってくるか、俺は強いぞ」という態度でにらみ返してくるので、クマ撃ちをやる人はあせって弾《たま》を詰めなくてもいいよと私は言うんです。ゆっくり弾を詰めて、ゆっくりというのはそれだけ気を静めているから命中率も高いからゆっくり弾を詰めなさいって、私はそういうアドバイスをしているんです。

だから、弱い動物というのは自分が弱いということを認識している。ノウサギでも自分の身を守る方法は逃げるだけですから。動物は自分たちの力というのはそれぞれ認識していると思います。クマは強いのですが、人間だけは苦手なんです。

クマは人間を観察している

——いったい、どういうことからクマは人間を強い動物だと認識するようになったのでしょうか。そこが一番知りたいところなんですが。

人間というのは、数が多くてどこでも堂々と歩いているでしょう。常に動物が人間を気にしているというのは、それだけ人間のことを強い存在だと見ているということだと思います。

——そうするとクマはわりと里に近いところで人間の動きを見ているわけですか。

そう。人間のいろいろなことを観察しているんです。クマは直径一五センチくらいの枝は折るんですよ。枝は折るけど、それだけの枝を軽々と折るだけの力があるかといったらそこまでの力はない。脳みそで折るんですよ。知恵ですよ。「裏噛み」をするんで

す。木の裏側をよく嚙んで弱らせておいてから、曲げて折るんです。だから知恵のある動物なんです。

――一気に折るわけではないんですね。それはどういうときに木を折るんですか。

九月頃によくやる行動なんですけど、その頃はドングリが青く実っていて食べたいんだけどまだ落ちて来ないときに。枝の先までは細くて登っていけないので、そういうときにある一定の太さの枝を手元に引き寄せて、裏側を嚙んで、折ってから下に落とすと食べることができるんです。

――裏側を嚙んで傷をつけて、それから折るわけですね。

実際に枝が折られているところを見て、こんな太さの木をどうやって折るのかなあと思ってよく観察をしたのでわかりました。

でも、そこまでできるクマでも、人間が木を伐採して大木を倒すのをちゃんと見ているんです。チェーンソーを使って太い木を一気に倒すのをクマは見て知っているんです。彼らにしてみれば、あんなに太い木をドサッと倒す人間というのは怖い動物なんですよ。それから山の中で働く営林署の人たちがジープや車でかなりのスピードで移動するのも見ているんですよ。そして自分たちよりも人間ははるかに速く走れることを知っているんです。彼らも知恵がありますから。そう判断してるんです。だから人間が怖いからあんまり寄りつかないんです。

逆襲に驚いたクマ

――他にクマが人を襲わない動物なんだと言える話はありますか。

はい。千歳《ちとせ》の山はネマガリダケが非常に多い地方です。そこで、農家ではネマガリダケを豆や長芋を支える棒として使うので、それをさかんに伐り出していた業者がいました。その業者が山の中に入って行ったときのことです。山の中に弁当を置いておくとクマに取られてしまうので、腰に弁当をぶら下げて夢中になって働いていた。そしたら、なんとなく後ろから腰のあたりをひょいひょいっと何かに撫でられているような様子なので、何の気なしに後ろを見たらクマが手で腰弁当を取ろうとしているところだったんです。

人間の方はびっくり仰天して、柄が五〇センチもある竹切りナタという長いナタをクマに振りかざしました。クマはまさか人間はそんな乱暴ではないと思っていたのに眉間《みけん》を切られたものだから、人間の強さにびっくりして逃げてしまったそうです。だから人間が後ろを見せるということは命をあげるというのと同じですね。

昭和二九年の話ですが、その頃の支笏湖《しこつこ》は立派な大木の森に囲まれていました。そこに営林署の人たちと大勢の作業員が入って仕事をしていました。その頃はクマが多かったので作業をしている人のところへクマが出てきました。逃げないで声を掛ければ襲わないのですが、その人はびっくりして木に登ってしまいました。ところがクマというのは非常に木登りが得意で、人間が逃げるから好奇心もあって寄って行ったんだろうと思うのだけど、人間の後を追って木に登っていって爪を掛けて引き落として、その人の上に乗り、被さってきました。

前にも言ったけど、マイタケ採りの人が襲われたようにクマはいきなりかじるのではなく乗りかかってくるんです。乗りかかってきて顔の上で口を開けて牙をむき出しにして怒っていました。襲われた人は腰のナタを引っこ抜いてクマをぶっ叩きました。そしたらまさか下になっている人間に叩かれるとは思っていなかったので思わぬ反撃にクマの方がひるんで逃げてしまいました。これはクマというのが最初から人を襲ってやるという気ではないから助かった話なんです。だからやっぱり私はクマに出くわしても逃げるなと言うんです。

――お話を聞いていて面白いのは、クマがわりと里に近いところで、人間をじいっと観察していて、人間というのはこんなに太い木も倒せる、こんなに広範囲にも動きまわる、とても我々がかなう相手ではないというふうにある意味では恐れおののいて、タマげている存在だということですが、それにあわせて人間が行動を取れば危険ではないということなんですね。

そうです。

このときは姉崎さんの話に私は納得してインタビューを終えた。

しかし、しばらくしてそのことをもう一度考え直してみると、もっと昔は木を切り倒すのに今のようなチェーンソーなど使っていなかったし、もっと前は車もなかった時代が長かったはずだ、と考えた。機械力などつい最近のことで、クマとの関係はそれよりももっと前にさかのぼるはずだと思った。弓と槍くらいの武器しか持たない時代が長く続いてきたわけで、そんなささやかな武器しか持たない人間にも、はたしてクマは恐れを抱いたのだろうか、と思った。次に姉崎さんに会ったときに、早速そのことを聞いてみた。

変な力を持つ人間

――クマと人間の長い歴史を考えてみると、たとえば営林署の人がチェーンソーで木を伐るのをクマは見ていて、自分たちがとても倒せないような太い木を伐り倒している人間てすごいなあと考えるようになった、と姉崎さんは言いましたが、そのもっと昔は、北海道の先住者のアイヌの人たちの場合は、せいぜい弓と槍でクマに立ち向かう程度だったわけですよね。それでもクマは人間に対して一目置いて恐れていたのでしょうか。

たとえば、クマは自分の仲間が矢で射られて殺されるのを見ていれば、嫌だなと思う。

――やっぱり人間というのはすごいと。

矢で射られてトリカブトの毒が回って死んでいく仲間を見て、人間のほうが変な力を持っているなあと思うでしょう。だから人間を恐れているんですよ。でも一度人間を襲った経験のあるクマは、あんなに怖かったのに襲ってみれば、何の手応えもない。こんなに弱かったのかと考えがガラッと変わって次も襲うようになる。

——眼からウロコじゃないけれど、人間の弱さを知ってしまうんですね。

そう。クマは、馬や牛のように大きな動物を襲って倒してしまう力を持っていても人間は襲わない。もともと人間を恐れているからなんです。

——野生動物はクマだけではなく他の動物たちも人間の行動をじっと見ているんですかね。

人間は機械で木を倒すでしょ。すごい音を出して。シカなども、やっぱり人間てすごいもんだなと思っていると思います。今のようにチェーンソーがない時代でも、人間は斧《おの》で大木を伐り倒していたからね。

第七章　クマと共存するために

北海道のヒグマは、その数を年々減らしていることから一二年前の一九九〇年から春グマ猟は禁止となった。そのときから、クマの毛皮の値段が落ちたこともあり、姉崎さんも職業としてのクマ猟はやめた。またヒグマ対策も、これまでのクマを見れば撃ち殺す、つまり「駆除《くじょ》」を続けていれば、間もなくヒグマもエゾオオカミがたどったのと同じように絶滅に向かうことが危惧《きぐ》されるようになった。いま北海道にいるヒグマは全部で二〇〇〇頭くらいだと言われている。そこで北海道では全国に先がけて「駆除」から「防除《ぼうじょ》」、つまりクマを殺さずに山へ追い払う方向へとヒグマ対策を切り替えた。

しかし、山の木が伐られ、おもに針葉樹ばかりが植林されるにつれて、ヒグマの餌になる広葉樹のドングリや蔓《つる》植物のコクワなどの木の実も少なくなった。さらにアウトドアの流行とともに人間がどんどん山の中に入ってキャンプや釣り、バーベキューなどをするようになり、そのときに食べた余りの食料や匂いのついたジュースの空き缶、カップラーメンのカラなどを大量に残してくるようになった。ヒグマは、次第にそうした味を覚えて人間の住む領域に下りて来るようになってきた。

対策だけは防除に切り替わっても、ヒグマと人が接触する機会がふえ、事故の危険性も増してきている。そうなれば危険なクマは殺さなければ、ということから再び「駆除」へとクマ対策が後退する恐れも現実に出てきている。これから人とクマはどのように共存していけばいいのだろうか。クマとヒトの将来を姉崎さんに聞いてみた。

幹線道路を渡るクマ

——北海道では「防除」という新しい試みが始まっていますが、やっぱりクマが出たときにそのあいだに立ってクマをよく知っている人がいないと、この方針は実現できないことでしょう。

はい。だからクマとの共存ということを言っているけれども、クマそのものをまだわかっていない点があるんですよ。たとえばクマが道路を横断する道を作って欲しいと言っても、クマというものの習性をよく知らなくてはクマが使える道にはならないんです。私が、防除隊にいると、たとえば支笏湖《しこつこ》沿線道路のどこそこをクマが渡ったといった情報が車で見かけた人たちから入るんです。そうすると、私はその渡った場所を聞くだけで「そんなところをクマは渡らない」と断言できるんですよ。見た人は渡ったって言うけれど、クマというものの性質を知ればクマがどうやっても渡れない地形というものがあるんですよ。

――そうするとその人の報告はウソだということになるんですか。

ウソというよりも見間違いです。シカが渡ったのをクマだとか。何かが渡ったらクマだっていうふうに。たとえば、支笏湖から来るとカーブになっていて第三発電所寄りは送電線の刈り開きがずっとあるんです。去年そこでクマ親子が道路を渡ったという情報があったんです。情報が入れば確認にだけは一応行くんです。私ともう一人の二人で行ったんですけど、私は「ここをクマは渡らない」って言ったんです。

――どういうところをクマは渡るんですか。

山あいと山あいで、動物が渡っても安心な場所というのがあるんですよ。どういう地形が動物は安心かというと、人間とクマは全く違うんです。たとえば人間が逃げていくとき、もし捕虜が脱走して逃げていくときなどは沢の中を歩くんですよ。人間心理は沢の中に身を隠して、少し頭を出して道路を見て、安心だというとサッと渡って次に低いところに降りる。これが人間心理です。

クマの心理は違うんですよ。道路のヘリより高い方がいいんです。そして、あちら側にも高い尾根がつながって、尾根の渡りがあって道路面が低いところを渡るんです。人間がこんなところをクマが渡るはずがないと思うのは、人間は自分たちが弱い存在だから逃げるときにできるだけ隠れて歩こうとするんです。そのために体を隠す沢を選ぶんですよ。ところがクマは自分たちの方が人間を見てやろうと思うんです。もし人がいたら高いところで体を隠すようにして自分が一番安全なところから危険なものを先に確かめようとするんです。クマの性質はそうなんですよ。

——それでクマが横断する場所がわかってくるわけですね。

そうするとクマが歩いて渡るところが決まるんです。渡ったという情報があって、この看板の何百メートルくらいのところで渡ったっていうから見に行くとクマが絶対渡る場所ではないんですよね。

その他にもクマが渡ったという情報が入って、防除隊として行ったんですよ。そうしたら他の人はクマをよく知らないから渡ったっていう報告があればそこを渡ったと決めて、最初からそこだけを重点的に探すんです。でも足跡なんか見つかるわけがないんです。私はクマの性質からいってそんなところは渡らないんだって言って。もっと離れたところの道路の両サイドが高かったんですよ。それで「あそこのあいだで渡っているはずだからそこへ行ってみなさい」と言った。そして、そこへ行くとちゃんと渡っている跡があったんですよ。

針葉樹林の中にクマは住めない

――千歳《ちとせ》にはだいたい何頭くらいのクマがいると推定していますか。

私はせいぜい三頭くらいではないかなと思っています。

――それしかいないんですか。北海道全体でクマが集中しているところ、クマが多いところはどこですか。

まあ、知床《しれとこ》はいますね。

――渡島《おしま》半島はどうですか。二五〇頭とか三〇〇頭くらいいるんですか。

やっぱりそちらの方がいるんだろうね。

――たぶん数では渡島半島が多いのではないかというデータがありますね。

渡島半島、それから道南《どうなん》の方もいるらしいけどね。クマの大きさは違うんだけど。

――知床は人間との関係はうまくいっているようですが、数は渡島半島ほど多くはないみたいだというデータがありますが、どうですか。

向こうの方は私は暮らしていないのであんまりくわしくはわからないけど、この千歳辺りではほとんどいないですよ。せいぜいいても三頭くらい。恵庭《えにわ》市、千歳市、苫小牧《とまこまい》市というのはだいたいまとまっていて、クマの棲息範囲としてクマは行ったり来たりしているんです。

それで自分の行政内に何頭くらいクマがいるか関係者は計算しようとするんです。それを山林の面積から割り出そうとするんです。「あそこはどのくらいの面積があるから何頭くらいいるだろう」と。私は山を現実に歩いているんですが、面積からだけではクマの数はわかりません。

——実際の山を見ても単に面積からではクマの数は計算できないんですか。

できないです。面積から割り出しても針葉樹の植林ばっかりのところにクマはいないですからね。クマの行動を私がどれくらい読めるかということを証明してくれたのは、北海道大学の電波発信器をつけたクマです。その追跡調査のときに若い研究者に言ったんです。「クマが針葉樹をどれくらい嫌うか、ちゃんと調べなさいよ」って。そして「ただ電波を追っていって、支笏湖にいた、今度は植苗《うえなえ》で見つかった、そしてそれを直線で結ぶだけの報告なら、それはクマの研究にはならない」と言ったの。「あんたらの報告書を見たら支笏湖から植苗に行ったといって直線で示す。植苗からもう一回丸山の滝に戻るとまた直線で結ぶだけだ。そうすると書類で報告されたのを見る人たちは、ああ、クマって直線に動くんだなって感じるんではないか。これでは植生も出てこないしクマの山野の好みというのも出てこない。

研究にはただ移動は出てくるけど、直線で結ぶだけではクマはまっすぐばかり歩くんだなあと思われる。しかし、山野の好みと植生をその中へ入れるとクマがUターンして歩くコースも出るよ」って言ったの。

だから「私らのように山の中に野宿して歩けとは言わないけど、電波を聞いて車の中に寝なさい。そうすると夜行性だから何時頃から、何時頃までのあいだ動いているから、その動くあいだを電波で追って行きなさい。そして翌日はそのあとを、山の中に入って自分の足で歩いてみなさいって。そうして山を見ることによってどういう山林であった、どういう植生であったというのがわかるから」って私が言ったら、そうやって研究者は歩いて「姉崎さんの言う通りです」と言ってくれた。

私が単にクマについて一生懸命言っても証明するものがなかった。それでは私が言ったことが本当かウソかわからないんですよ。ところが北大のクマの追跡調査に一生懸命協力したのは私の読みが正しいことを証明してもらうためでもあったんですよ。

防除隊の仕事

――姉崎さんは、プロとしてのクマ猟をやめてからは、クマの被害を予防する防除隊員として働いてきたわけですが、防除隊の具体的な仕事はどういうことをやるんですか。

防除隊というのは春グマが出てくるころ山菜採りとか、キノコ採りに山へ入る人が多いから、これらの人に対してクマが出てきて危害を与えるようなことがあっては困るからそれを見回りして歩くんです。

――山の中をパトロールして歩くんですか。

山の中でなく林道なんですけどね。そして、いまはクマを殺せという時代ではないので、支笏湖は国立公園で、公園の沿線通りに近いところではクマが出たといってしょっちゅう騒がれるんです。本当はクマのエリアですからそこにクマがいるのが当たり前のことなんです。そこに人間が入り込んで行って、クマを見たら、クマがいるのは当たり前なんだから当たり前にしてくれればいいんだけど、人間はすぐ騒ぐ。騒いだら万が一危害を加えられないようにって出動するんです。私の仕事は、クマの性格がおとなしいものか、気が荒いものか把握しながら歩くんです。

――ということは出たという報告があるとそこへ出動して行って、それでクマに出会ってそれがどういうクマかをとらえる。

その痕跡の中から割り出せるんです。だからクマに出会わなくてもいいんです。

――観光客に対して危険だからということで何かするんですか。

山に入っている人に、注意をうながして歩くんですよ。

――クマに対しては注意はうながさないんですか。

クマに対しては出くわさない限り。そしてクマにこの場所から移動してもらいたいなというときは、防除隊が林の中を一回通り抜けて嫌がらせをするんです。

――どういうふうに嫌がらせをするのですか。

やっぱり彼らの住処《すみか》を通り抜けるだけでクマは嫌なんですよ。普通の山菜採りの人はそんなところに入っていかないのに、ハンターだと入っていく。それでクマは嫌がるんです。まあ、そうすることは滅多にないんだけどね。万が一クマがそういう場所から動かないということになれば、そうするということで。

餌がなければ子どもは産めない

――食料が山に豊富なときと実が少ないときと年によって違いますよね。クマは食料が少ないとやっぱり行動圏を広げてきますでしょう。すると、人間に接触することが多くなるんじゃないですか。

いまは自然林というクマが好む山がほとんどないんですよ。千歳の山全体はもうクマが野生で暮らせる自然の山というのはないんですよ。だからクマがいれば人里近いところへ出てくる。私たちなら、それは当然だっていうくらいに山を見て判断するんですけどね。

クマも人目につくのは嫌だけど、どうしても生活はしなきゃならない。そうすると人に見られる場所に実のなる木があるということで、千歳では毎年人と接触が起こって騒ぐことになると思います。山に餌になる木がないからクマがかわいそうだと思いますよ。

私がこのあいだ旅行に行って車から見た十勝の山は、まだ自然があるんですけど、あっちはナラの木がないんです。だからドングリが食べられない。ところが、シカがいるんで、それをクマが餌としているんですよ。だから肉食に変わって暮らしている。ところがここら辺ではシカはいないし、やっぱり生きようとすると下におりてきて人目につくようになる。ドングリが豊富でないとベビークマはつくれないんです。交尾はしても、餌が足りないと産む力が母体にないので流産してしまうんだそうです。

――かつてのクマは習性としては人間に対して恐れを抱いていた。しかし、現代のクマがだいぶ昔と変わった部分というのはないですか。たとえば昔のような音を出してもクマはもうそのことで退散するようなことはなくなったということですよね。その他に現代のクマが昔のクマと違ったことはありますか。

やっぱり人間がクマを見て「わー、クマがいた」って驚くと同じくクマも「わー、人間が来た」って驚く時代ではなくなって、人間がいて当たり前、クマがいて当たり前というくらい人間とクマはごく接近した生活をしていると思うんです。それは人間が結局クマのエリアに入り込み過ぎているということが言えるんだと思います。

クマの領域に入りすぎた人間

――山菜採りだとか渓流釣りだとかでクマのエリアに大勢が入り込み始めたということですね。

だからどこがクマのエリアなのか境目がないんですよ。私たちがここはクマの場所だといって昔はあまり入り込まないところにでも、今はそんなことあるかっていうくらいどんどん人が入っているんですよ。

——昔はどういうところを一つの境として考えたんですか。ここからはクマのエリアだというような境は。

やっぱり森林地帯です。そこにはナラの実のドングリでも何でもあった。人間は農作物で主に生活していたからそんな野生のものをどんどん食い荒らすということはなかった。それが今は野生のものも人間の食べものになってしまった。そうするとクマのエリア、クマが本当に住んでいるという場所との境界線が引けないんですよ。

——昔は山菜採りなんかはもうちょっと下で行っていたわけですか。

ずっと民家の近いところで採っていて、そんなに奥山まで入る人はいなかったです。今は山の中に道ができて車で入れる。クマのエリアに入り込んでいるから、今は、クマがかわいそうなくらいですよね。

——人間も見慣れすぎている。

だから音には全然反応しない。町近くに出たクマもそうで、鉄砲で脅してやったけど、まったく逃げないで少し行ったところで立ち木を枕にするように頭を置いて、そしたらゼンマイや何かが目の前にあるんですよ。ゼンマイや何かが目の前にふさがるものだから手で開いて私の方をのぞいているんですよ。あれは野生のものとは思えなかったですよ。

──クマの数も激減してきているから、これからは渡島《おしま》半島とか知床《しれとこ》とかいろいろなところで、クマを駆除しないで共存していこうという方向がどんどん強まってくると思うんですよね。だけど人間がクマのエリアに入り込むような時代になってきて、どういうふうにしたらこれからクマとうまく共存していけるんだろうかと思うんですが、姉崎さんの方から何か意見がありますか。

そうですね、人間が言うことを聞いてくれる時代はこないでしょうね。

ルールを守るクマ、守らない人間

──「人間が言うことを聞いてくれる」というのはどういうことですか。

規制をよしんば作っても、クマの方は守るかもしれないけど、人間の方は守らないでしょう。

──たとえばどういうことを人間に守って欲しいですか。

山菜採りでも森林浴でも山へ入ったら山を荒らさないということ。そして、自分たちが責任を持って食べたものを全部持ち帰る。食べた後のおいしい匂いを残さない。たとえ食べものを何も残していないって思っても、カップラーメンでも食べたらその容器を残すことによって匂いは残しているんですよ。彼らは鼻のいい動物だから、車の通る道路際でカップラーメンの容器だけをかじっていた。何も容器だけかじったたって味はないですよ。それでも鼻がいいから鼻だけでその味を味わうために物をかじる。でも、そういう物を残さないという規制を作ったとしても人間の方が守りきれないでしょう。

食べ残しがクマをひきつける

――人間としてはもう何も食べものなんか入ってないんだからといって食べカスを捨ててくるけれど、実はその匂いにクマは引きつけられてしまって、その匂いを求めてもっと麓《ふもと》の方に下りてくるということが増えてくるわけですね。

やっぱり人間の食べたものは味もついているから、野生のものだけを食べている動物にしてみればすごくおいしいものだと思うよね。防除隊で山へ入ると、フキ採りの人なんかが大勢入ってくるんですよ。そして山でジンギスカン鍋をやったりしています。その食べ残しを埋めたら困るから全部持ち帰ってくださいって注意して回るんです。埋めると鼻が利くからクマは掘り出しちゃうんですよ。食べ残しをみな持ち帰るようにすれば、クマは人の後を追わないですよ。

釣り人が一番悪かったですね。カップラーメンを持ってきて、食ったらポンと捨てて。だからクマが悪いんじゃなくて、人間の習慣で悪者にされちゃったんですよ。私たちの若い頃には、クマは何倍もいたんですよ。それでも人間界に出てくるかっていうと、そうたくさんは出てこなかった。

――たくさんいても麓の方に下りてこなかったんですね。

彼らには彼らの生息地帯があって、人間の領土までは入ってこなかったんですよ。餌がなくなる原因を作ったのは人間です。私は、一番悪いのは国だというんですよ。国がどんどん山の木を伐り倒す。木にからむ蔓《つる》の方は、木の伸びを妨げるからって切ってしまう。そうするとどんどんクマの餌がなくなる。

――ブドウ蔓とか、そういう実のなる蔓植物もなくなっちゃう。

そういうことです。それなのに人間がクマを寄せる餌をどんどん残すからクマがやってくる。

――じゃあどうすればいいのでしょうか。

やっぱり後片付けだね。

――山に入って、ハイキングに行って、ジンギスカンや何かを食べたときは必ず持ち帰る。空き缶だって匂いがあるからそういう呼び込む要素のものは必ず持ち帰ることが大事なんですね。

私たちがよく指導するのは、餌を山に残してこないようにって。食べる前にはみんなどっさり背負って行くんですよ。食べ終わったら背負って帰るのが面倒だから、みんな埋めて帰るんですよ。それをなくしてくれればね……。

――それがよくないんですね。

はい。クマは嗅覚があるからね、どんなところでも掻き出すんですよ。そういう習慣を人間が断ち切ってしまえば私はクマはおとなしい動物だと思ってるんです。

——そうやって人間のおいしい味を覚えちゃったら、どうしても何回追われてもまた人家の方へ近寄ってくるということが繰り返されるわけですね。それを断ち切るためには、山へ持って行ったもの、川へ持っていったものを持ち帰る、という。非常に単純なことなんだけど、それが一番大事なんですね。

はい。

国が木を伐る

——それと国側の政策でも実のなる木をどんどん伐採して、針葉樹ばかり増やしていくという政策も変えなきゃいけない？

それも変えなきゃいけないですね。それはもう二〇年くらい前から私は言ってきました。その話をしたのは私が一番早かったです。植林のあいだにもともと育っていた雑木があるんです。それを残しておいてくれと私は言ったんです。でも雑木は伸びがはやいから、営林署の植えた木を妨げるような気がするんですね。ところが一緒に植えてみると、太陽に当たろうという気持ちがどっちにもあって、上へ上へと両方とも育っていくんですよ。

――実際にそういうふうに植えてみると、雑木を伐採しなくても植えた木が伸びていくわけですか。

伸びます。かなりいろいろ私は言ったんです。私は一介の労働者で、取られて惜しいプライドもないから、営林署にどうなんですかって向かって言ったんですよ。そしたら私の仲間のみなさんもどんどん言ってくれて、三年くらい前から、そうすることになりました。私はここ数年山にクマは出ないよって言うんです。出ないというのは餌がないからお産ができないんですよ。餌がないとお産しない動物だから、それを見込んで、クマが出るか出ないかわかるんです。

まあクマがふえるまでには一〇年以上はかかるだろうと思います。木がどんどん大きくなって、昔の形になるのにはそのくらいかかるだろうと思うからです。

昔はどんな小川にでも魚はたくさんいたんです。そしてどんなところにも餌があって、何でも餌にして魚が釣れた。今はミミズを取ろうとしてもミミズもいない。結局そういうものを食べて暮らす動物もいないから、生きた山とは言えないんですよ。

都会から来る人から見ると、谷があって小川があって水の音がする。山を見ると緑できれいだし、山は生きているように見えるけど、私には山が生きているようには見えないんですよ。植えてあるのは針葉樹でも松ばっかりです。枝が混んで日が差さないので、草木も育たないです。そして、今度は営林署が赤字だっていうような時代になったから、植えた木の手入れをしてないんですよ。だからクマが生息する地域が生き返るまでにはおそらく、一〇年はかかるだろうと私はみているんです。

そして餌がないところでクマは、お産ができないからだんだん減っていく。どんどん増えていくのはエゾシカだけなんですよ。シカはいよいよ何も食べるものがなかったら木の葉でも木の皮でも食っていける。そういうものは生息できるけど、クマはまず不可能な状態ですね。

すでに山は死んでいる

――そういう針葉樹の下の土はどうなっているんですか。

ミミズ一匹いないです。山を歩きながらここは死んでるよ、ここは生きているよって区分けしながら歩いたことがあります。

――そういう地域を流れる川もやっぱり死んだ川になっちゃうんですか。

だって営林署は木を一本育てるために、野ネズミを殺す。野ネズミ一匹殺すために毒物を空中散布する。人の力で撒くならたかがしれてるけど、ヘリコプターで一気に山全体に撒くんですよ。ベトナムの戦争より悪いんだって私は言うんです。そういうのを撒かれたら私たちハンターにはすぐわかるんですよ。

一番先に肉食動物、キツネ、タヌキなどがネズミの死んだのを食べて死んでいく。へビでもなんでも死んでいる様子を知っているから、キツネは不安だけどそうしたネズミを食うと今度腹が焼けるから、水場に下りていって水を飲んだら、もうその場所でのびちゃう。毛がすっかり抜けて。

ネズミも、もともと地球の大昔から同じく生きてきた仲間なんだから、一つのものを嫌わないで、全部が暮らしていたほうがいいんじゃないかと私は思う。

もうだいぶ前に空中散布はやめましたが、ネマガリダケという竹も全部殺した。そうすると、一年ぐらいではそんなに目立たないんだけど、何年もたつとおそらく人間にだって影響すると私は思います。何年となく毒物が土の中に浸透して流れていくと、谷川に暮らしているザリガニやなんかが全部死んでいるんですよ。国のやってることだからしようがないのかな、文句も言えないのかなと思いながらも、私いつも営林署にだけは文句を言ったんですよ。

だからクマとの共存生活をするんだといって、ヒグマを守るといっても、守るために人間の方がこの地域だけは入らないようにするということが守られない。第一に営林事業がそうです。山を残してあるからクマが暮らせるって言ったって、残っているのは針葉樹ばかりの山でしょう。そうすると高い山があって木があるけれども植生が全部変わってしまうでしょう。針葉樹の下は日陰になるから、元々の植物は全部死んでしまう。暗いところがあれば町の人はクマが出そうだっていうけど、そんな暗いところはクマの方が怖いから、寒くて入っていない。それだけ日光というものがクマにも他の動物にも必要なんです。ということはクマの暮らしが全部そういう植林でもって破壊されていて、しかも、だんだんと狭められて山のほとんどはもう全部伐り開いていて、営林署は国道の縁に少し自然林を残しているだけです。自然林が残っているように見せかけるためにね。

支笏湖だってそうでしょう。そうすると国立公園だからって、規制を作ったのは人間だけど作った規制を破っているのは人間なんですよ。言うことは立派なことを言っている。国立公園内の木をどれくらい残す、公園内は物を大事にするって国が言いながら、国が伐ってしまっているでしょう。こちらの斜面から見える所には木は立っているけど、その山の反対側は全部伐ってしまうんです。全部そうだから野生の動物は暮らす場所がないんですよ。

――クマはいろいろな約束を守れるけど人間は守れない、それが一番困りものだと。

やっぱりそうだと思います。クマの方はある程度の生活環境の整った場所があればそこから離れないと思う。クマはそうやって守るけど、人間の方が守らなかったら、やっぱり人間の里に一番近いところにわずかでも見せかけの自然を残すから、そこを頼ってまた出てくる。

――クマというのは基本的には単独性ですか。

群れは作らないです。

――そうすると順位はどうなるんですか。

順位というのは、動物園でも見られるし、やっぱり彼らにはあると思います。

――そうするとわりと餌場のいいところは力の強いクマが場所を取るとか。

力があるからいい場所を取るということはしないと思う。順位の高いものほど臆病に自分の命を守っていると思う。

――では、どういう場所を取るんですか。順位の高いクマの場合。

そういう大きいクマは今も支笏湖の山奥の谷の餌でもって暮らしていて、いるのはわかっているけど人里へ出てこないですよ。

――餌の豊富なところに強いクマがテリトリーをかまえるということではないんですか。

ないと思います。私たちハンターは順位というふうに表現して考えると順位の上のクマは、どこへ行くのか考えます。たとえばこのクマは順位が上だから白老岳《しらおいだけ》まで行くだろうとか、まだ若いと順位が低いから、行くとしたら不風死岳《ふっぷしだけ》くらいだろうっていうふうに山の行き先を決めるので、やっぱり順位は関係あると思う。

大きいクマは悪さをしない

――順位の高いクマは山奥へ入る。

結局、強いクマが長生きするのはそれだけ危険な人里のようなところへは出ないことを守っているからです。だから長生きするんだと思います。そして悪さもしない。だから大きくなったクマを見ると「ああ、大きいから安心だ」と思いなさいと私はよく言うんです。大きいクマは悪さをしないから大きくなっているんですよと。

たとえば人里に何度も出て来ていればもう若いうちに人間に獲られてしまうんです。だから規則を作ってもクマの方が規則を守ってくれるんですよ。山のいいところを作ってやれば、クマはそこから里にそんなに来ないと思うけど、人間の方が全部山を食い荒らしてしまった。

言ってみれば、高い山、富士山の頂上あたりのようなところに立派な別荘を作ってやって「さあ、水もない食料もないけど別荘があるから暮らしなさい」って言われても人は暮らせないのと同じで、クマもそんな餌のない山では暮らせないんです。どんなに山があって木があるように見せかけても、登山して楽しいというだけでは暮らせないんだから。やっぱりクマは餌を食わなきゃならないから。単に山の面積範囲ではないんですよ。

生活というのは、その中に食料がどれくらいあるかということです。食料がなければクマは里の方へ出てくる。そうすると結局人目について危険だということで殺されてしまう。これは何もクマが悪いんではないんですよ。人間が全部原因を作っているんだから。

――人目について危険だけれど、どうしてもそうした場所で餌を採らざるをえないというのは若いクマで、若いクマがそういうところへ行ってしまうのですね。

はい、やっぱり思い切りがいいからね、どっちかというと。若いクマは餌があれば危険より餌の方につられて来るということにはなるだろうと思う。しかし、大きいクマは危険を避けて静かに暮らしたいので山奥にいて下がってこないと思います。

支笏湖の奥に私はよく行くんです。人間が立っていられないような傾斜のきついところへしょっちゅう行くんです。そうすると、そういう奥地の谷川にはクマがいるのがわかるの。大きいものがいるんです。そういうクマは絶対に足跡を付けない。

――クマはかなり頭がいい動物なのでハンターとふつうの山菜採りと見分けはついているんですか。

ついていると思う。

――そうするとハンターが鉄砲を持って歩いているときはじっとして動かないでやり過ごそうというふうに思うんですか。

いや、やり過ごそうというより、向こうが避けて動いている。

――避けて見当たらないようなところへ退こうとする。

ずうっと避けて行く。私たちのようにクマ専門のハンターが歩くと、クマは嫌だなと思うんです。それはひそんでいると思うところを歩くからクマは嫌なので移動しちゃう。

――プロのハンターはわざわざそういうところを歩くわけですね。

はい、私たちはそういうところを歩くから。私がよく言うのは私が三日その山へ入るとその山にはクマがいなくなる。だから獲るのも三日間が勝負だと。

――それとハンターが入ってクマを撃つとクマは人間というのは恐ろしいものだというのと、いつか自分もやられるんじゃないかという恐怖心みたいなものを抱かないですか。

やっぱり人間への恐怖心は持っていると思う。

――それから逆に逆上してやっつけざるを得ないというふうにころっと変わるということはないですか。

それは手負いになったときですね。

――手負いになったとき以外はそういうふうにはならないと。

ならないと思う。だから手負いになったら逆襲。瀕死の状態になって彼らが生きようとしたら逆襲しかないでしょう。手負いグマの対応を知っているハンターでなかったら事故が起きるよって私は言うんです。一番うるさいのは手負いグマなんですよ。

クマへの恩返し

――クマが私のお師匠さんだということでクマに対して恩みたいなものを感じることがあるか

もしれませんが、その恩返しみたいなもの、お師匠さんであるクマに対してこれからどんなことをしていきたいと思っていますか。

クマと共存していけるものだったらクマにもいい環境をあたえてやりたいものだと思います。地球の上にもともと住んでいたものみんなが暮らせることが、美しい地球なんですよ。どれか一種類だけが増えたってそれはいい地球ではないと思う。クマが師匠になったほどクマにお世話になって山も教えてもらったし、そのお陰で生活もある程度維持できたからね。当時私がやっていた頃はかなりお金になった時代だから。ひと春猟をすると、一回のボーナスをもらったくらいになったから、そういうふうに生活を助けてもらったありがたさは感謝しています。

クマのおかげで危機を乗り越えてこれたんだなあと思うと、現在はクマが生存するうえで危機の時代だから、いくらかでも手助けできることがあったらしてやりたいなあと思う、その心は変わらないんですよ。

「クマが怖い」という言葉が怖い

——北海道は日本全体の中でも鳥獣保護《ちょうじゅうほご》に関しては非常に進んだ政策を打ち出しているわけですね。北海道は日本全体のリーダー的な役割を担って。しかも知床《しれとこ》のようにヒグマと新しい関係を築こうという試みをしている。ヒグマというのはただ怖い、来たら撃ち殺せっていうんじ

やないような関係を。

そうですね。やっぱり、「クマが怖い」ものだっていうその言葉が怖いんだよね。クマは本当に怖いのか。子どもたちにおばけが出るよ、怖いよって言ってもおばけが本当に出たことはないんだから。

だからそれと同じでクマが怖いものだというのはおばけと一緒でその言葉が怖いんです。だからクマが暮らせるようなある程度の環境を作ってやると、クマはそんなに怖くないんだってわかると思う。

二歳仔のクマだったらけっこう人間と遊ぶんですよ。野生から捕まえてきたものでもね。そうすると相撲をとったりして遊ぶの。私が子どもの頃にけっこう遊んでいるけど、やっぱり人間も向こうも同じですよ。負けてばっかりいると嫌なんですよ。彼らは相撲を取っていても嚙みつくことはしないんです。何も口を隠していないのに嚙みつこうとか爪を立てようとかはしないで、もたれ掛かって遊ぶんだけど、人間には技があるから足を掛けてひゅっとねじってやるとコロンと転ぶんですよ。一回目はいいんだけど二回目コロンと転がると、今度はオレも本気だっていって本気を出してくるけどね。だからそんな調子でそんなに怖い動物ではないんですよ。人間に合わせて遊ぼうとするんだからね。

――よくクマが出ただけで危ない！　危険だから集団登校しなくてはいけない、とクマに対しては非常に危険なものがそばにいるっていう感覚で、一般の人はとらえていて、新聞もそういうふうに書きたてるでしょう。それはどうですか。

山の近くで働く人たちは、「おう、クマの足跡だ」って普通に思ってるんですよ。クマがいるんだけどそれで人を襲うかっていうと襲わない。いつの間にかクマも人間も学習して出会わないように暮らしている。ところが一般の都会近くにクマが出たら、集団登校だとか、ハンターを頼んでわあわあ山を騒がしくするでしょ。そうするとクマのほうもいつもと様子が違うから精神的に緊張する。やっぱりクマと人間が共存していこうと思えば、相当時間が必要だと思うね。できるとは思いますよ。

――クマに対して人間も学習しないといけないんですね。クマは危険なものだっていう考え方を改めないといけない?

そう、改めないと。

――知床ではクマが漁師さんのそばに来ても何も危害を加えないって新聞に出ていますが、知床ではクマと人間の非常によい関係ができて、うまくいってるようなんですが……。

クマも人間をよく覚えている。同じ家から同じ人間がよく出てくると人間を覚えてしまうでしょ。そういうことであの人たちは何にもしないなってクマは学習している。

――学習しちゃうんですね。あの漁師さんたちいつもいるけど、何も危害を加えないなってクマのほうが覚えてしまう。

そうなると思いますよ。ところが一般の人がクマを見ると、クマに襲われた本や新聞を見てすぐに危ないと騒ぐ。だからクマにも人間にも学習できるだけの時間をゆっくり与えてやらないといけないですね。

第八章　クマの生きている意味

このインタビューを始めた二〇〇〇年五月、姉崎さんは七七歳になっていた。それでも、まだ銃を持って現役のハンターとして山に入り、危険なクマの被害予防、つまり防除の任務についていた。その任務の中で、山から下りてきて町から離れようとしないクマにも出会うことになった。クマはもともとどんなところに暮らしてきた生きものなのだろうか。そして、人間をどのように見ながら暮らしてきたのだろうか。そして、クマが生きている意味とは？

クマ撃ちをやめた理由

——プロとしてのクマ撃ちをやめたのはいつでしたか。

クマの狩猟が禁止になってからです。

――いつですか、それは。

もう一〇年以上も経ちます。クマの頭数が少なくなったからクマを保護していこうということで、春グマ駆除がなくなったんです。

――ツキノワグマも含めてクマは全国狩猟禁止になっているんですか。

いや、ツキノワはまだです。

――春クマ駆除は禁止になっているんですが、もし危険だっていうときにはどうしても駆除が必要だというときがあるんじゃないですか。

それはあります。そのときは駆除許可が出るんです。

――どういうときに駆除許可が出るんですか。

もし被害が起きそうな場合に、我々クマ防除隊がこれはどうしても被害につながるという見方をした場合には駆除申請をするんです。そうすると駆除をします。今、防除隊だからといって見たからすぐに撃っていいということはないんですよ。

――ただ人を襲ったクマというのは、前に話していただいたように人間はもう弱いものだと知ってしまっているわけでしょう。そういうクマというのはまた襲う危険性があるわけですよね。

それは絶対に襲います。

――ということはそういうクマはもう殺すしかないんですか。

それは殺さなかったら駄目です。野生の動物、たとえばクマ牧場にいても、あるいはライオン牧場にいても人を一回襲ったやつは駄目ですよ、やっぱり。ああいう動物は人の弱さを知ってしまうと人を襲う。それは殺す以外にないです。

――奥山に放獣しても駄目ですか。

はい。しかし、家畜を襲うクマは大丈夫なんですよ。人間には弱いんです。

――牛や馬をやっつけても人間にはまだ一目置いている。

はい、怖いんです。しかし、人間を一回襲った、そういう事故が起きたら、どんなことがあっても獲らなきゃ駄目なんです。殺すしかないんです。

アイヌ民族最後のクマ撃ち

――姉崎さん自身は最後のアイヌのクマ撃ちということになるんですか。

そうだと思いますね。

――どうして最後だというふうに言えるんですか。

いないです、誰も。プロのヒグマ撃ちで鉄砲を持った人は。

――しかし、今どうしても駆除しなきゃいけないというときに、許可がおりたときに今でもクマ撃ちに行けるんですか。

はい。私は行けます。

――銃は持っているんですか。

持っています。

――じゃあ現役なんですね。

現役なんです。去年銃をやめようと思ったんですよ。私は体の調子も良くないから銃をやめるからって言ったら、千歳の猟友会がやめたら駄目だ、やめたら、お前を千歳の住民にしてやらないとみんなで言うんです。

――それで今は防除隊の副隊長をつとめているわけですが、出動したのはいつですか。

今月二回出動しています。

――銃を持ってですか。

銃は持たないで。予察ですから。春グマがどういう状況か。クマが出て来るか来ないかということを一応予察して歩くんです。

――どういう状況を見るんですか。

そのときは子グマの足跡と親グマの足跡が付いていたという情報が入ってきたんです。それで、その足跡を見に行ってきました。子グマの足跡があるものは子どもがまだ弱くて体力がないから、親の方が子どもを守るために安全な行動しかしないし、人目につくようなところには出てこないんですよ。出てくるのは、木の葉が出て隠れ蓑《みの》が完全に周囲にできたときですよ。

――子連れは木の葉が出てから下りて来るようになるんですか。

はい。人里近くに出てきて、たとえば支笏湖《しこつこ》公園道路の沿線に出てきて道路を横断する。だけど、たとえ横断するにしても真夜中の人の気配のまったくない安全なときに彼らは渡る。人に見られたくない。だからそれだけ彼らは本当は遠慮して歩いているんです。オレたちは強いんだから人くらい軽くやっつけられるという行動は全くしてないんですよ。

山に帰りたくないクマ

――防除隊を悩ますようなクマもいるんですか。

はい。たとえば山に戻りたくないクマもいたんです。

――町に出てきて？

はい。私はわかったんですよ。そのクマがどうして町から離れないかというのを。というのは、クマっていうのは親から生まれて、二歳仔はまだ子供なんです。三歳になって初めて親離れするんです。まだ親離れしていないときに、親と別れる何かの事態が起こって、親と別れたとすると、山へ戻りたくてもその子グマは山を知らないんですよ。山がおっかないんですよ。だから山へ帰りたいけど山を知らないから山がおっかない。人里に近いところに暮らした方が安心なんです。

――人間は怖くないんですか。

人間にはわりとなつっこいんです。子グマですから。そして人里にいたほうがいいというクマなんです。

――普通クマというものは放っておけば山に帰ると思うけど、山は怖いわけですか。

怖いんです。親がついてないと帰り方を知らないんです。道しるべがわからない。

――だけど一年くらいは母親と暮らしていたんじゃないんですか。

一年くらいは暮らしてたんだろうけど、まだ子どもだから人の気配のあるほうが頼りになるんです。

――それから最近、町へ下りて来るクマが多くなっているということがありますよね。何らかの事情で親が死んだというようなクマ以外の。

畑とかなんとかにくっついてしまうと、もう町から離れられない。

――それはどういう意味ですか。

山に何もないから、畑にこんなにおいしいものを植えているならって、もう離れられなくなるんです。

――山に戻っても木の実のなるような木が本当になくなってきましたか。

本当にないです。たとえばコクワのような蔓植物のある山は、けっこうあるんですよ。でもコクワの実はならないんです。ミズナラの木だって相当あるんですよ。なのにナラの実が全然ならないんです。

――それはどうしてですか。

なんでだろうなあ。花粉を運ぶ虫がいないからかなあ。

――木そのものはあるんですか。

木はある。

――だけど実はならないの?

ならない。

――予想では虫がいないからだと思いますか。

虫がいないからでないかなと私は考えています。虫をあまりにも殺してきたからね。

――それは空中散布やなにかで?

そうです。だから花が咲いても実がつかないんだと思う。ところが営林署の管轄《かんかつ》の山から離れて、向こうの穂別の方、もう少し農家のある方へ行ったらコクワもドングリもみんな実るんですよ。

――クマの数も多いんですか。

穂別はクマがたくさんいますよ。

――それで山に実がないとクマは、しようがないから地上部にある畑へ下りて来て作物の味を覚えたらもう帰れないんですね。

はい、味を覚えたらもう帰れないです。

——そういうクマはどうしたらいいんですか？　難しいですよね。山へ追い返したって食べものがないから、また下りて来ちゃう。難民みたいなものですからね。

クマっていう動物はもともと臆病な動物で、人間がトウガラシ・スプレーなどで一回驚かしたら、その驚かされた場所には二度と戻って来ないんです。でも山に戻っても食べものがなければ、また里に下りて来るしかないんです。そのうえ、人間のところには畑や食べ残しのゴミもたくさんある。以前、電波発信器をつけたクマをもう一度捕獲したいからといって研究者がドラム缶の罠《わな》をしかけたんです。それで私はすぐに言ったんですよ。一度発信器をつけて脅かされているから、ふつうのクマなら絶対来ないよって。そのあとで、姉崎さんがそう言っていたけど、ほんとうに来ない、姉崎さんの言うとおりになったと研究者は言ってました。私には経験があるんです。野生のクマがしょっちゅう出て来るから、そこで脅かしてやったことがあるの。そうしたら、とうとうそこには出てこなくなった。

クマは里が好き

——クマは神経質で臆病なんですか。

すごい臆病だと思う。

——だから、驚かされたらもうそこの場所には来ない。

クマはね、臆病だけれど、人が好きなんだね。人間の村があったとしたら、そこからずっと離れたところで暮らすことはない。わりと近いところで暮らす。

――クマは里の動物なんですかね。

里にいる動物です。

――山奥の動物じゃないんですね、クマは。

はい。里に暮らしてはいるんだけど、人と会わないように上手にやっている。蘭越《らんこし》に私がいたとき、私の家の上のところに大きな木があったんです。その根元にクマが寝ぐらを持ってたんです。だからわりとクマって人家に近いところにいるんです。たとえば支笏湖から苫小牧へ抜ける国道でも、国道から五〇〜六〇メートル入ったら、クマの寝ぐらがたくさんあったんです。

――単にそこは車が走ってるだけで、ここは大丈夫だと思ったら人が近くを通っても平気なんですか。

平気ですよ。私が防除隊として山へ出たときですが、雄と雌と一緒に歩くことはあまりないんだけど、そのときのクマはずっとくっついていた。みんなは、このクマは寝ぐらをどこに持っているんだろうって言っていた。そこで私は、クマは車の音がしても自分たちに影響があるかないかを判断して、高速道路の縁に寝てるよって言ったんです。それから探したら、やっぱり高速道路の縁に寝ぐらがあった。だから人がいたってあんまり気にしないんだと思う。昔からね。

――クマはなんでそんなに人間圏の近くが好きなんですか。食べものが共通してるからですか。

食べものは一緒に分けているわけではないけど、近くで暮らしてる。

――人間も里山でけっこう木の実を採ったりするでしょ。そういうところが人間とクマとで似たような場所になるっていうことなのですか。高い山にはあんまり欲しいものがなくて。

高い山っていうのはだいたいクマ自体が嫌いですよ。歩くにしても高い山はクマだって楽じゃないからね。だから本当は低いところが好きなんだけど、人間が低いところを占領してるから、遠慮しいしい、いくらか山寄りに暮らしてたんだと思う。

――人間とは、かなりダブった空間を必要としてるんですか。

そうだと思う。

――木の実などは、人間もほしいですものね。かつてはドングリも食べていたし。

昔はドングリが落ちて厚さ一〇センチくらいにもなっていましたよ。

――縄文時代の主食はドングリだったわけですからね。

ドングリ、ドングリ。ドングリは食えば太るもの。

――クマの一番好む食料は何ですか。

やっぱりコクワとブドウではないかな。ブドウはそうたくさんは食わない。ブドウをたくさん食うと舌が切れるからね。クマだって同じだと思う。

――クマの秋の食料源はなんですか。

コクワ。

――その次は？

ドングリ。

――古い時代から、クマはなんとなく人間に近いところにいて、人間に悪さをしないように生きてきたのでしょうか。

悪さはしないね。クマは臆病だからね。ただ、人間と突然出くわすと、そのとき自分が襲われたように錯覚するから、襲われたから先にやるっていうことになる。

――怖いから逆にかかってきちゃうんですね。

はい。私は山を歩いていて、クマが実際にいるのがわかっているんだけれど、何回入っても襲われない。クマがこちらに驚いて逃げたのがわかったら、私の方は逃げる必要はなんにもないんです。

――ヒグマっていうのは、獰猛《どうもう》だっていうイメージが非常に強いでしょ。そりゃ嚙めば恐ろしい力があると思うし、腕の力もすごいだろうし、爪の力もすごいだろうけれど、向こうは人間を食おうなんて考えてもいないわけですね。

いないね。そんなこと考えないです。だから、一番悪いのは知ったかぶりしてクマが獰猛だという人間が悪い。

――ヒグマの本当の姿を知らないで。

クマは人にかかってこようとはしないからね。ただし、かかってくるクマは最初からくる。

――どういうことですか。

たとえば人を一回襲って殺した経験のあるクマ。これはもう絶対人を襲う。

――人間が弱いものだってわかっちゃったんですね。そういうクマ以外は最初からかかってくることはまずない？

私はそう思う。

――姉崎さんの長い経験の中で一回もその考え方は外れたことはないですか？　一度人間を襲ったクマ以外は。

外れたことはないね。

――一度人間を襲って殺して人間てこんなに弱いものだってわかってしまったクマは、やっぱり殺すしかないんですか。

うん、そりゃあ駆除しなければ駄目です。

――山に帰してもやっぱり人間を襲うと思いますか。

襲うと思います。

――そういうクマに関しては厳しく臨まなくてはいけないんですね。

はい。もうクマがいったん強いと自分が思ったら駄目です。私は常にそう思ってクマを見てるから、襲うはずのクマだったら私はとっくの昔に襲われている。私のように夜中に山の中を歩くのはクマの時間だから、襲う気ならクマはいつでも私を襲えたはずだからね。だからクマは最初から人にかかってくる動物ではないんです。

姉崎さんは、二〇〇一年六月に、長いあいだ持っていた銃を手放した。クマ撃ちの狩人をやめると同時に、クマの被害を防ぐ防除隊の副隊長の役からもおりた。実に六五年にわたるハンターとしての人生だった。

一二歳から七七歳まで六五年間にわたって狩人として生きてきた姉崎さんは、鉄砲を手放した今、ヒグマをどのように思っているのだろうか。そして、ヒグマが生きている意味をどう考えるのだろうか。アラスカでクマをはじめ野生動物と自然を撮ってきた写真家の故星野道夫氏は、クマの生きている意味について次のように述べている。

「もしもアラスカ中にクマが一頭もいなかったら、ぼくは安心して山を歩き回ることができる。何の心配もなく野営できる。でもそうなったら、アラスカは何てつまらないところになるだろう」「人間はつねに自然を飼い馴らし、支配しようとしてきた。けれども、クマが自由に歩きまわるわずかに残った野生の地を訪れると、ぼくたちは本能的な恐怖をいまだに感じることができる。それは何と貴重な感覚だろう。これらの場所、これらのクマは何と貴重なものたちだろう」(『ベア・アタックス』)と。この文章を読んだとき、姉崎さんならば、クマが生きている意味をどのように考えるのだろうかと思い、無性に聞いてみたくなった。

ヒグマの生きている意味

――ヒグマは人を襲ったときには、人を食べてしまうほど恐ろしい面を持っていますね。それに、すさまじい傷を負わせたり、ひどいときには人の内臓まで抜き出したりして食べてしまうので、獰猛というイメージを持たれています。そこで、そんな危険な動物は、この狭い日本列島にいないほうがいいんじゃないかと考える人もいるかと思います。姉崎さんはそういう考え方に対してどう思いますか。

昔から地球上に、お前たち生きろと神様から言われて分布して生きているものは、生きていてほしいと思うね。虫一匹だっていなければ人間には困ることだってあると思う。たとえば花粉を運ぶ虫なんかね。畑を作っていて青虫が増えたからって、みな殺してしまう。そうすると、チョウがいなければ花粉を運んでもらえない。人間に悪い面があっても、人間の役にも立っているんだと思うんです。

それから木が育つのが遅いからって、育つのがはやい針葉樹ばかり植林しても、そこには小鳥も何も住めない。そうするとバランスが崩れる。だから生きているものには、それぞれの働きがあるんです。人間だけが生きればいいと考えていると、人間も最後にはひどい目にあって死んでしまうと思うんですよ。

——今の姉崎さんの考え方は、どんなものにも役割が与えられてこの世に存在する、というアイヌ民族の伝統的な考え方、アイヌ語でよく「アイヌモシッタ ヤクサクペ シネプカ イサム(この世に無駄なものは一つもない)」と言いますが、その考えとそっくりですね。

だから、クマはクマなりの存在価値があって、この世界になくてはならないものだと思うんですよ。たとえば木も針葉樹ばかりだと、土壌もやせてくる。そうすると人間の生活のどこかで不作につながってくる。だからやっぱりもともといるものはみんないて暮らさなければ駄目だよね。

営林署が木をかじって枯らすからといって野ネズミを退治するためにヘリコプターで毒の薬を空から撒いたけど、それから奇形のウサギなんかが増えたね。手や足のないウサギがずいぶん出た。そういうことをしていたら、いつか人間にもはね返ってくるから。

エピローグ　クマに組み伏せられても生きのびるには

　これで姉崎さんへのインタビューをすべて終えた。そのつもりだった。しかし、帰り道を一緒に歩いているときに姉崎さんが口ばしった言葉が気になった。それは、人が素手でいるときに、ヒグマに被《かぶ》さってこられてもう食べられる寸前でも何とかなるんだ、というようなことだった。おや、どういう意味だろうと考えながらも、そのときは別れた。しかし、どうしても姉崎さんが口ばしったことをもう一度ちゃんと聞いてみたいと思い、また別の機会を設けて、聞いてみることになった。

——最後の最後でもう一つお聞きしたいことがあるんですが、声を出したりしていろいろ手を尽くしたけれども運悪くクマが覆い被さってきて組み伏せられ、今まさに自分の顔にかぶりつこうとするようなときには、もう諦めるしかないんですか。それともまだ何か助かる方法が残っているんでしょうか。

　私はあると思います。クマは人間をかじろうとして口をあけるから、手を握って、こぶしを作って腕をクマの口の中に突っ込んでベロ（舌）をつかんで押したり引っ張ったりする。そうやって喉を塞《ふさ》がれると、クマのほうも嫌だから逃げて行ったというハンターの話はあります。

──素手で何も持っていないときに、クマが覆い被さってきて、後は食われるだけだという最後の最後で、クマの口の中にこぶしを握った腕を思いきり突っ込んでベロをつかんで押したり引いたりすると有効なんですね。

やっぱり食われるという場合になったら無抵抗でいて食われるか、何とかするかといったら抵抗したほうがいいでしょう。ものを持っている場合、ナタだとかノコギリだとかを持っていればうんと効果があるんですよ。

──何も持っていない場合には腕だけでもいいんですね。

そう。腕を突っ込めば舌を握れるから。

──でも、腕くらいクマは噛み切ってしまうんじゃないですか。

いや、噛み切れないと思います。喉を塞がれると噛む力が出てこないんです。

──じゃあ、できるだけ奥まで腕を突っ込む。

はい。腕の付け根まで入れる勢いで。少しかじられても腕がもげるほどのかじりではないから、生きようとする信念があれば腕を突っ込めると思う。喉を塞がれたら噛まないと思います。そして舌をつかまえて引っ張るなり押すなりすれば。

——有効なんですね。

そう。ある庭師が小さなノコギリを持って山に木を取りに行ったんです。そのときクマに襲われて被さってこられた。それで、その小さなノコをクマの口の中に突っ込んだら、ノコの刃がたとえ短くても口に入ったものだからクマは何もしないで逃げて行ったそうです。クマは人間を恐ろしい動物だと思っていながら、襲ってみたら案外簡単に倒れた。ところがノコやナタで反撃をくらったらクマは驚くんですよ。

——以前、クマに立ち向かうのにナタは有効か、と聞いたときに、クマは猫よりも手が速いからナタなんかではかなわないと言いましたね、でもナタを持っているのは有効なんですか。

クマは、被さってきたときは手を使わないんです。かじる気になっているから口を開けて迫ってくる。今まで襲われた人の話をきいてみると、被さってきた後、ベロを出して口からよだれをボタボタ垂らして顔中にかかったというんです。そういう話をきけば、いきなりガバッとかじるということはないんです。でも相手は人間をかじる気で口を開けているんだから、抵抗できるのなら、持っているものを口の中に突っ込む。ナタを持っているんだったらナタを突っ込む。それは有効性があると思う。

——ハイカーや釣り人などが持っているもので有効性があるものというと、何がいいんですかね。

やっぱり、小刀、ナイフなんかがいいんじゃないかな。または、棒でもいいと思う。

それを口の中に突っ込んでやる。

――素手より棒の方がいいんですね。でも、そうすることでクマが逆上してくるということはないですか。

いや、ないです。口の中に突っ込まれたら逆上する元気がなくなります。

――クマは退散する方向に向かうんですか。

はい、そう思います。

――じゃ、被さってこられても、もう終わりだなというときでも諦めちゃいけないわけですね。

そうだね。倒されてかじられようとするとき諦めていれば食われるだけです。もしクマの口に手が入るくらいのスキがあれば、何も持っていなくてもいいから手を突っ込めばいい。できるだけ押す。浅くすると相手の口が閉まってかじられちゃうから。自分の腕の根元まで入れるくらいの気持ちでこぶしを、ぐい！　と突っ込めばいい。

――もし、クマの口に腕を突っ込むことができない気の弱い人なんかの場合には、どうしたらいいんですかね。被さってこられたとき。もうそれ以上は無理ですかね。

彼らは肉食動物ではないから、人の肉を食ってやろうという気はないんです。ですから、被さってきたときに動かない方がいい。クマは動くところを攻撃するんです。

――そのとき自分の首の後ろの部分を両腕で覆って、頸動脈《けいどうみゃく》をかじられるのを防ぐようにしてうつ伏せになったほうがいいと欧米のレンジャーなんかはすすめるんですが、それはどうですか。

やっぱりクマはかじれるところをかじるんだから、自分でかばえるところはかばったほうがいい。腕は少々かじられても命に別状ないから。

クマはクマ同士で闘うとき、うなじ（首の後ろの部分）を噛むんですよ。人間がそこを噛まれたら、ひと噛みでやられてしまいます。クマ同士で喧嘩するときは必ずそこを狙うんです。

――じゃ、クマの口に腕を突っ込む勇気がない場合には両腕でがっちり首の後ろを覆って伏せて動かないでいるのもいいんですね。

はい。じっとして動かないでいると、クマは、これは大丈夫だな、自分を攻撃してこないな、と思うとたいていは置いて行くと思う。彼らは肉食動物じゃないんだから。

――しかし、一度、人間を食べてその味を覚えてしまったクマだったら駄目ですか。

人を殺して食った経験のあるクマに会ったときは諦める以外にないね。手の打ちようがない。

昔、支笏湖の近くで人を五人襲ったクマがいたんだけれど、そのクマを撃ちに入った私の友人のハンターが言うには、クマの方がその人に何もひるまずに向かって来たと言うんだ。それは人間を食ったクマだからなんです。だから人間を食ったクマは駄目だと言うんです。

――そういうクマは口の中に腕を突っ込むなんていうことも効かない。

いや、スキがあればやった方がいいんです。できるだけ抵抗は。しかし、向こうは人間のことをいいご馳走が来たと思っているんだから、すぐに食べ始めるでしょう。でも、スキがあれば抵抗したほうがいい。

――では一番最後に、いままでたどってきた長い狩人生活の感想をひと言聞かせてください。

私の生活は、山があって川があってクマがいて、それで生かしてもらったようなものですよ。

あとがき

クマにあったらどうするか、という問いに対して、これまで、いろいろな人からさまざまな答えが出されてきた。死んだふりをするのがいいとか、いや、それは何の根拠もないことだ、などと互いに真反対の意見も出されてきた。これに対して、姉崎さんは、終止ゆらぐことなく明確な答えを出していることは本書を読めばよくおわかりになることと思う。

しかし、はたして一人の狩人にすぎない姉崎さんの答えは普遍性をもち、信頼に足りうるのだろうかと疑問を抱く人もいることだろう。

ところが最近出版されたアメリカの著名な動物行動学者スティーヴン・ヘレロ博士の『ベア・アタックス――クマはなぜ人を襲うか』全二巻（嶋田みどり・大山卓悠訳、北海道大学図書刊行会）を読んでみると、博士の長年にわたるクマの研究結果と姉崎さんの語った内容が実によく一致していることに気がついた。

たとえば、姉崎さんは、クマにあったら、まず「逃げないこと」を第一に挙げている。これにたいしてヘレロ博士は、北アメリカのグリズリーの例を挙げて次のように述べている(グリズリーは、北米に住むヒグマの仲間のクマ)。
「多くの人がグリズリーから逃げようとして負傷していることが私の研究からわかっている」。そして「もしハイキング中に攻撃的なグリズリーに出くわしたら、その場を動かない方がいいという考え方が、さらに説得力をもってくるだろう」。また「若いクマから逃げ出せば、クマが人間を追いかける引き金になるだろう」とも言っている。

さらに、ヘレロ博士は至近距離でクマが向かってきた自分の体験も披露している。それはクマに対して経験の浅い男性ジョンをクマの観察に連れて行ったときのことだった。ジョンがクマの親子を観察中に立ち上がって伸びをしたときに滑って倒れてしまった。すると「母グマはすぐに寝床から跳び起き、そのままこっちに向かって突進してきた。ジョンはといえば、事前にいっておいたことすべてに反して、跳びあがって逃げ出した。私は知性にしたがって本能にはしたがわず、じっとその場を動かず、クマが向かってくるようすをカメラに収めた。(中略)クマに突進されて私の心臓は早鐘を打ち、息が詰まりそうになったが、おかげで、ブラックベアの母親は相手と接触するまで向かってくることはほとんどない、という私のデータが正しいことを確信することができた」。

これはブラックベアとの出来事だが、ここでも、それまで博士のデータが示しているように、たとえクマがこちらに向かって突進してきても人間と接触するまでには至らないので「逃げない」こと、そして「じっとその場を動かない」ことが重要であると述べている。

さらに、姉崎さんは、本書の中でクマというものは、本来人を襲うような動物ではないことをくりかえし語っている。たとえ近くまで突進してきてまるで飛びかからんばかりに立ち上がったとしても、それは襲うためではないのだと何度も語っている。

クマのこうした行動についてヘレロ博士は、次のように述べている。「子連れのグリズリーのクマであっても、相手に向かって突進するだけといった、接触にいたらない攻撃で終わる場合のほうが、まだはるかに多いのだ」。

そして、ブラックベアについても「なぜ途中で突進をやめるのか？　ブラックベアの母親は確かに、危険だと思われる相手に襲いかかるようなそぶりをする。（中略）しかし、それにつづいて相手に接触したり、相手を傷つけたりすることはほとんどない」と述べて、やはり姉崎さんが言うようにクマは襲うそぶりだけで突進を途中で止めてしまう習性を持っていて、やたらに人を襲う動物ではないことを伝えている。

また、姉崎さんは、クマに出会ったときに、逃げないで「大声を出し」「じっと目を相手からそらさないでいる」ことをすすめている。こうした点についてヘレロ博士は、次のように考えている。

「相手の目を真っ直ぐにらみつけるのは、大声で鋭く叫んだり、大きな音をたてるのと同じように、攻撃性や相手に対する優位を示す信号となる。もしグリズリーをひるませるつもりなら、このような行動は適切だといえるだろう」

また、姉崎さんは、人間が接近したときにはクマの方が地面をバーン、バーンと叩く警告音を出したり、フッフッという鼻息音を出してこれ以上近づくなという合図を送ってくるという。これについてもヘレロ博士はこう述べている。

「人間に対する攻撃的なディスプレイでもっとも多く見られたのは、ハッハッと息を荒げる、向かってくるふりをする、前足で地面を叩く、前足を突っぱる、という動作だった」

これはブラックベアの例だが、やはり姉崎さんの言葉を裏うちしているようだ。

そして、姉崎さんはキャンプの人や釣り人が置いてくる食べ残しや空き缶などがクマをひきつけ、ひいてはクマを人間の住む村や町にひき寄せてしまう危険性を力説している。ヘレロ博士も「クマによる人身事故と、人間の食物あさりに慣れたブラックベアやグリズリーとの間に、明確な関係がある」とか「生ゴミに餌づいたクマほど危険なものはない」と述べている。姉崎さんのクマに対する見方と、ヘレロ博士の見方は驚くほど一致している。

ところで、よくクマは人間を恐れていると言われる。しかし、獰猛なクマというイメージと、人間を恐れているというクマのイメージは何か相矛盾するようで、私には長いあいだ理解しにくいものだった。この点についての姉崎さんの答えは私にはとても説得力のあるものだった。それは、クマが人間の行動をじっと見ていて、とてもかなわないと怖れの気持ちをもっているからだというものだ。弓矢を使っていた時代でさえ、その毒矢によって倒れていく仲間をみて人間の気味の悪い強さを感じとって恐れの心をもっていたからだというのが姉崎さんの説明だ。これはクマとヒトの進化にもかかわる大きな問題でもある。では、この点に関してヘレロ博士はどう考えているのだろうか。

「たとえば、われわれ人間は、武装していないと、ひ弱なクマにさえろくに対抗できないのに、人間がクマに獲物として扱われることはごく稀にしかない。すでに述べたように、クマのこうした抑制を形成するうえで最大の影響を及ぼしたのは、人間の能力だったと私は考えている。大昔の人間でさえもときにはクマを殺したし、時代が進むとともに、人間はクマを殺す技術にたけてきた。このメッセージが、生き残ったクマの遺伝子のなかに組み込まれ、それはいまもだいたい残っている。生まれながらにして人間を避けるという傾向はそこから生じたものだ」（前掲書。後半の一部は片山訳）。姉崎さんと全く同じことを言っているのには驚くほかない。

ところで、アイヌの人々は人に大ケガをさせたり、人を殺したりしたクマは、ウェンカムイ（悪神）として、なんとしてでも撃ちとり、家の中にも入れず、外で逆さにして土に埋め、二度と再生しないようひどい言葉を浴びせかける儀礼を行ってきた。この儀礼は、クマの進化ともかかわっているのではないだろうか。つまり人間に攻撃的なクマは、こうした方法で人間の選択圧を受けてきたため、人間を怖れる傾向のクマが生き残ってきたのではないか。

ヘレロ博士も「過度に好奇心の強いクマで、とくにその個体が攻撃的でもあったりすると、人間の周辺で長く生きられないのがふつうである」と言い、「攻撃的なクマに対する人間の選択は、人類がクマを殺す武器を手にしたときから、連綿とつづいてきたものである」とも述べている。

姉崎さんの話を聞いていて強く印象に残ったことがある。それはヒグマと四、五メートルの至近距離で対峙したときの話である。姉崎さんはそのときの様子を身振りを伴って私に話してくれた。

巨大なヒグマは今にも飛びかからんばかりに牙をむいて立ちあがっていた。しかし、そのとき姉崎さんのとった態度は予想外のものだった。普通ならば銃口をクマの心臓に向けてねらいをつけ、いつでも発砲できる体勢をとるはずだ。しかし、姉崎さんはそうはせず、銃を胸に抱えるように持って、仁王立ちになり、銃口は左斜め上に向けて構え、相手から目をそらさずにいたという。

腕に自信があるので、もし飛びかかってきても引き金に指は掛けているので、いちいち狙いをつけずに即、撃つことができるため、クマの胸を狙って銃口を向けて構えるようなことをしなくてもいいのだという。すると、激しい怒りにあふれていたヒグマは、次第に息を静めていくようになったという。そして、気が静まったところで初めて引き金を引くのだという。

なぜ目の前でクマが飛びかかろうと立ちあがっているところを撃たないのですかと聞くと、クマが激昂しているときは、たとえ弾が心臓に命中しても、その距離をひと跳びし、激しい怒りの勢いで猟師を一撃で叩き殺すくらいの力がのこっているからだという。今にも飛びかかろうと牙をむく巨大グマの目の前で銃口も向けず仁王立ちしている姉崎さんもすごい度胸だと思うが、クマがどんなに激昂しても、すぐに飛びかかってくる動物ではないとクマの本性を読みきっている姉崎さんの信念の固さにも驚く。まさに命がけで知ったクマの本性である。

これまで私は狩人とクマは山の中で死闘を繰りひろげるものだというイメージを持っていた。それはヘミングウェイの『老人と海』の老人とカジキマグロの格闘のように、あるいは、クマ撃ち猟師を扱った小説の中で描かれるクマと人の死闘のようなものを心の中でイメージしていた。しかし、現実のクマ撃ち猟師は、荒れ狂うクマを目の前にして、じっとその心が静まるのを待ち、怒りの荒波が引いて、凪《なぎ》のように静まりかえったときに初めてドンと撃つのだった。

カムイユーカラ（神謡）では、クマは人間界に下りてきて心の正しい猟師（つまり、きちんと招待の労をとってくれる人）の矢を自分のふところで受け取りその家に迎えられると、クマの側の視点から描写している。

このカムイユーカラの中の光景と、実際の猟の場面で心を静めたクマが猟師の放った弾を受ける光景と、実によく似ていると私は思った。カムイユーカラの伝承は、もしかすると撃たれるときのクマの姿の本質を物語として伝えているのではないかと思われるのである。

ヘレロ博士は、イタリアのヒグマの仲間を調査して「グリズリーとグリズリーの親戚たちは、開けた土地で採食するように進化をとげたのだろうが、人間との競合によって、開けた場所で採食するクマではなく、人間から隠れるクマが生き残る方向に向かったのだろう」と述べ、「そこでは、クマたちは暗闇か朝夕の薄暗いとき以外は、まったくといっていいほど隠れ場所を離れない」という。

こうしてみると、「野生動物」とはいっても、人間と競合する場所に生きる動物たちはみなヒトとの関係で今日のような野生動物に進化してきているのではないか、と考えられるのである。人間と無関係に本能だけで生きるのが野生動物だと思われがちだが、少なくとも人間の生活圏に近い野生の生き物はみな人間の何らかの影響の中で進化してきたのではないだろうか。

このことから私は二〇年ほど前のヒバリを取材したときのことを思い出す。それは、ヒバリの鳴き声を競い合う古くから伝わる競技だった。飼っているヒバリを籠の中から空に放して上空で鳴かせ、そのヒバリの声を競うもので、ヒバリは、ひとわたり鳴くとまた自分の籠に戻ってくる。

そのとき、競技を行っている老人の一人から不思議な話を聞いた。日本中で最も美しく澄んだ声で鳴くヒバリは、岐阜県の各務原《かかみがはら》の野生のヒバリだと言われてきて、かつては、ヒバリの雛を日本各地から籠に入れて各務原に持っていき、上空で鳴く野のヒバリの下にその籠を置いて雛に声を聞かせてその美しい鳴き声を覚えさせたという。ところが、自動車が増えるようになってから、野のヒバリは地上から聞こえてくる車や町の騒音をひろって覚えてしまい、各務原のヒバリの声も濁って駄目になってしまったと言うのだ。

野生のヒバリも実は人間界の各時代の音を自らの鳴き声の中に取り入れていたのだ。野の鳥もそれぞれの時代のうたを歌っていた。野生の鳥は本能のままその鳥独自の鳴きをしていたと思っていただけに、その話は強く印象に残っていた。

私たちヒト（ホモ・サピエンス・サピエンス）は、これからも他の生きものと競合しながら進化の道をたどっていく。ヒトは周囲の野生の生きものと全く無関係に生きてきたのではない。むしろ予想以上に大きな影響を与えてきたのである。

ヒトを恐れるクマを生みだしたのも、ヒトとクマの長い進化の道のりの中からである。そして、これから先、人間の出す食べ残しのゴミに執着し、それ欲しさに人を襲うような攻撃的なクマを生み出さないとも限らない。

私たちヒトは望むと望まざるとにかかわらず、これからも野生の生きものたちの性格を変えてしまうほどの重大な影響を及ぼしながら進化の道を歩むことになる。そのことを考えると、私たちヒトは、他の生きものたちから生き方を問われているのだと思い知るのである。

一方、私たちヒトもクマがこの世界に存在することで大きな影響を受けている。写真家の星野道夫は、「アラスカの自然を旅していると、たとえ出合わなくても、いつもどこかにクマの存在を意識する。（中略）クマの存在が、人間が忘れている生物としての緊張感を呼び起こしてくれる」（『星野道夫の仕事　第3巻』朝日新聞社）と述べている。

一撃でヒトを倒すことのできる強烈な力の持ち主がこの世に存在することを知ること、つまり畏れの心を抱くこと、それはヒトが思いあがり、暴走するのを抑制するのにどれほど役にたつことだろうか。

ところで、ヘレロ博士の考えと姉崎さんの考えがすべてきれいに一致しているというわけでもない。子連れの母グマに関しては多少の意見のずれがある。姉崎さんは、子連れのクマに会ったときは、子グマの方に目を向けず母グマだけを見つめながら、次第にその場から離れていくことをすすめている。

一方、ヘレロ博士は、「目を合わせず、音もたてなかったら、気のたった子連れの雌グマを落ち着かせることができるかもしれない」と述べている。しかし、北米のグリズリーは同じヒグマの仲間ではあるが、やはり地域差があり、北海道のヒグマの方が攻撃性が低いといわれていて、ヘレロ博士が来日し、北海道のヒグマを見たときにヒグマはやはり攻撃性が低いことを認めたという。だとすれば姉崎さんの意見は十分納得できるのである。

また、北海道のヒグマは北米のグリズリーよりも木登りが上手だといわれている。クマに追われた場合、ヘレロ博士は木に登って逃げることをすすめているが、姉崎さんは木登りをすすめていないのもそのためだろうと考えられる。

ただ、クマは一頭一頭個性があり、人間との出会いの状況は一つ一つ異なっている。人間の方も、男か女か、大人か子供か、気の強い人か弱い人か、動揺しないタイプか、オドオドしてすぐに動いてしまうタイプかなど千差万別である。こうした多様な組み合わせの中から対応が決まってくるので、クマにあったらどうするかといっても実は、固定的なマニュアルのような対処法などありえないのである。このことを十分考慮して本書を活用していただきたいと願っている。

私は、テレビなどで、アラスカのマクニール川の野生のクマが人間から二、三メートルという近さまで接近している映像を何回も見て、こういう場合、クマの方は人間に対して一体どんなことを考えているのだろうかと思った。そして、その点をぜひ姉崎さんに聞いてみたくなって、マクニールのクマの番組のビデオテープを姉崎さんに送って見ていてもらい、その後で尋ねてみた。

――アラスカのマクニール川はクマを間近で観察できるところとして有名ですね。人間の二、三メートルそばをクマは悠然と歩いている映像を姉崎さんも見たことがあると思うのですが、ああいうとき、クマは人間のことをどう思っているんでしょうか。

あのクマたちは人間を襲ったことがないから、おいしいものだとも思っていないだろうし、食べものも持っていないから何の魅力もないわけです。

――クマとしてはどう思っているんでしょうか。

人間は大きなヒグマが近づけば、なんか嫌だなと思うでしょ。クマも人間のことを同じようにちょっと怖いなと思う。その程度だと思う。クマにしてみれば、人間から餌をもらったこともないから襲うこともない。

だけど北海道の場合、人間が山に入って、おいしいジュースの匂いのついた空き缶やカップラーメンのカラを残してきたりすると、それにひかれてクマは人間の近くにやって来て問題を起こすようになっている。

この姉崎さんの話は人間とクマが今後はどのように共存していったらよいのか、という問いに大きな方向性を与えてくれると思う。将来クマと人が仲よくなればいいと思って、まるで犬やネコのように寄りそって生きることを理想と考える人がいるかもしれない。

しかし、姉崎さんのいう「なんか嫌だな」「ちょっと怖いな」とクマも人も感じあうことが実は、クマと人の共存のあり方を示しているのだと私は考える。ヘレロ博士は、クマと人の共存について次のように述べている。

「ブラックベアやグリズリーと共存していこうとしたら、（中略）野生のクマは、人間の友人と見なすべきではない。彼らは生半可に飼い馴らすにはあまりに危険であり、力がありすぎる。クマはクマの世界で生きている。（中略）ブラックベアもグリズリーも、キャンプ場の一部になってはならないし、道端で餌をやってもいけない。国立公園でクマに餌をやるショーを見せる時代は過ぎた。（中略）共存とは、クマと人間が同じ環境の一部を分かち合うことを意味するようになるべきだが、最大限に可能なかぎり、クマは人間の食物を利用することなく生きなければならない。クマとの共存には、相互忌避、人間社会のことばでいえば相互の尊重が、最終的な状態として望ましい。（中略）クマをなでたり、餌を与えたり、クマが生ゴミを食べたりするのではなく、クマと人間の間にはある種のよそよそしさが必要なのである」（前掲書）

ヘレロ博士は、クマと人間のあいだに「相互忌避」と「ある種のよそよそしさ」が必要だと言う。そして姉崎さんは、「なんか嫌だな」「ちょっと怖いな」と言う。なんと似た考え方だろうか。クマと人は里山という場所で互いにできるだけ出会わないようにして住み分けながら生きてきた。この関係がクマと人間の将来を考えるときにも大切なのだろう。

そうした関係を築きつつある場所が日本にもある。北海道の知床である。斜里町自然保護係の山中正実氏は次のように述べている。

「ヒグマが高密度に生息する知床半島の斜里町では、北米におけるクマ対策に近いモデルを一〇年あまりの歳月をかけてゆっくりと創り上げてきた。年間数百件に及ぶヒグマの目撃情報があるなか、もしふつうの『即、駆除』型の町であれば、年間数十頭を駆除していても不思議はない。しかし、専門スタッフが種々の対策を行なうことによって住民の安全をはかりつつ、駆除は最小限に抑えている。年によっては駆除をまったく行なわないことさえある」

「知床国立公園には、マクニール的な管理と観察の機会提供が可能な場所がすでにある。

現地の漁業者たちが、ここ十数年間にわたってクマたちと理想的なつき合い方をしてきた結果、人とクマがたがいに干渉することなく共存している。十数頭のクマが入れ替わり立ち替わり現われるが、人に対してほとんど攻撃的な態度を見せない。マクニールと同様、至近距離でクマと人が無視しあうかのように暮らしているのである。わが国のクマ問題解決のためには、社会全体の過敏かつ過剰なクマに対する認識が大きな壁になっている。いま、クマの真の姿を理解させ、正しい対処方法を教える場所がぜひとも必要となっている」（前掲書Ⅱ巻、解説）

姉崎さんへのインタビューは、二〇〇〇年五月二〇日から二〇〇二年一月七日まで、あしかけ三年、合計六回にわたって行われた。

話している最中、ヒグマと遭遇した場面になると姉崎さんは、立ち上がり「ウオー」と腹の底から出すような声をあげたりして、その様子を私に伝えてくれた。顔はまるでヒグマそのもののようだった。温厚な性格の持ち主でありながらも、巨大なヒグマを目の前にして一歩もひかない迫力がビリビリと伝わってきた。

「クマ撃ちはクマの心を知らなければクマは獲れない」と言い、「クマは私のお師匠さん」と言う姉崎さんは、ヒグマの心を真底知っている人だとインタビューを重ねれば重ねるほど感じた。

姉崎さんの描くヒグマ像は終止一貫して乱れがない。インタビューを終えて別れてから、しばらくすると、私にまた新しい疑問や質問が湧き上がってくる。そして次にお会いしたときに、その質問をぶつけるということのくり返しを続けているうちに二年近くの歳月がたってしまった。

ときには私の唐突な質問にそのとき的確な答えが出せず生煮えのままで終わることもあった。私の方もその答えに十分納得していなかったのと同じように姉崎さんの方でも、私が東京に帰った後、もう少し適切な答え方があったのではないかと反芻していたのではないだろうか。全く同じ質問を次の機会にぶつけてみると、十分納得できるような答えになって返ってくることがあった。

これは自分のことにひきつけて考えてみればわかることで、突然質問されたことに咄嗟にうまく答えられず、それが心に残り、あとで、そうだ、こう言えばよかったのだと思いつく経験は誰しもあるはずだ。

そうしたわけで、ついインタビューを重ねる結果になったが、そうやって二年近くにわたって時間を置いて聞いていったことは、やはりよかったと思う。

アイヌ民族には、クマを狩猟することは、招待することだという伝承があるが、これに対して現役のアイヌのクマ猟師が答えることなどいままでなかった。しかし、これは、ぜひ聞いてみたいことの一つだった。この質問も、初めのうちはあやふやな答えしか返ってこなかった。しかし回を重ねるうちに明確な答えとなってきたように思う。

また、伝承では位の高いクマが高い山に、位の低いクマは山すそに暮らすといわれているることの理由も、初めのうちは明確さを欠いていたが、そのうちに、はっきりとした答えとなって返ってきた。

記憶の深みに沈んでいることを呼び覚ますには、様々な刺激とくり返し時間をかけることが必要なことは、これまでのアイヌのお年寄りからのカムイユーカラ（神話）の聞き取りやウパシクマ（貴重な体験の言い伝え）の収集などの経験からある程度知ってはいたが、今回あらためてその重要さを再認識した。

クマが生きている価値についての姉崎さんの答えは、まさにアイヌ民族の伝統をその身に血肉化させているものだと深く感服した。


姉崎さんは、一人で山の中を何十年と歩きながら一度もケガをして動けなくなったことはなかったという。それだけに注意して歩いたという。雪崩の起こりやすいところでは、とくに気温差に気をつけ、さらに足で雪を踏んでみて雪質をみたり、必ずその下の層が滑らないか確認してから通ったという。

また、六〇年以上の狩人人生の中で一度もクマに爪をかけられたことはないという。

そして自分がケガ一つしないで生きてきたことこそは、クマが人をやたらに襲うものではないことの証だという。

姉崎さんのインタビューをまとめながら最後にどうしても聞いてみたいことが出てきた。姉崎さんの特徴は、その徹底した観察と実証主義にある。止め糞についても、解体したあと腸の内容物をゆっくり調べたいために猟の仲間がいない方がよかったと言うほどである。小学校の三年もろくに行けず学校教育の恩恵にも浴していないで、なぜあれほど徹底した実証精神をもち続けたのだろうか、という疑問である。

電話でそのことを聞くと、姉崎さんは、「私はクマは机の上にはいないといつも言うんです」と言う。たしかに姉崎さんは常にクマをフィールドで追う中から自分の考えを築いてきた。そこで、さらに私は聞いてみた。「そういう実証的な考え方は自然に身についたものですか、それとも何かの影響が幼いころあったのでしょうか」と。

すると姉崎さんは「父は仏教徒で、幽霊などについても、用のないものは出てこないものだ。出たのならどういうことで出たのか確認しろと、よく言っていました。炉の火を囲みながら何回も父からそういう話を聞きました。だから私は、幽霊などというものは迷信だと思っていました。そうした影響が強いと思います。それに私は人一倍好奇心が強くて、動物の行動や食性を知るのが好きで、イタチの獲り方なども人の話を聞いていて、なるほどと強く印象に残って、自分なりにその獲り方を考えたりしていました」と言った。

口のまわりに立派な入れ墨をほどこしたアイヌの女性を母親とし、共に幼い頃からアイヌのコタン（集落）に住んで、アイヌ民族の伝統が血肉化していて、本人も自分はアイヌであるとどこででも公言しているにもかかわらず、シサム（和人）の父親の影響がこのような形で出ていたとは、と思わず私は言葉につまってしまった。そして人間形成の深遠さを思った。

考えてみれば、クマを師匠とするという姉崎さんの特異な人生も、元はといえば、アイヌとシサムの両方の系統をひくが故のことであり、人間の師ではなく、クマを師とするようになったのが始まりであった。そしてクマを師としたことからヒグマの心までわかるようになったのである。父親は姉崎さんが一二歳のときに亡くなっている。

ともあれ、姉崎さんは「どちらかを名乗らなければどっちつかずになる。だからアイヌだと名乗ったほうがすっきりする」として自分がアイヌ民族であることを表明している（民族への帰属は本人の帰属意識によることが多い）。クマと共存してきたアイヌ民族の長い歴史の中で、その伝統をひくクマ撃ち猟師は姉崎さんで終わることになる。

しかし、今後ますますクマと人間の接触が増えると予想されるだけに、姉崎さんの貴重な知識と経験は新しい形で引き継がれていくことだろう。まだまだお元気な姉崎さんからその経験を吸収して、新しい形の後継者が育っていく可能性が十分あるからである。

本書は多くの人たちの協力で世に出ることになった。千歳市に住む北野貢氏は日頃から姉崎さんに山の知識を教えてもらっている関係から、何とか姉崎さんの本を出したいという強い思いを抱き、アイヌ文化振興・研究推進機構の出版助成に申請して、それが受理されたことは本書を世に出す推進力の一つとなった。また、出版界の不況のためこの手の地味な内容の本をなかなか出したがらない中で、木楽舎が出してくれることになったこともありがたかった。

＊

また、膨大な量の録音テープと、それを文字に起こしたものを一冊の本にまとめるに際して、木楽舎が発行する月刊『ソトコト』編集部の畠山泰英氏に、宮本常一の『忘れられた日本人』が参考になるのでは、という貴重なアドバイスをいただいた。そして、この聞き書きの本の形式を作る上で、それは大いに参考になった。本作りは次のような手順で行われた。

まず、テープから文字起こしした膨大な資料を、時間をかけて読みこみ、重要なポイントにマーカーで印をつけ、その余白に話の内容を小見出しのように書き入れていった。次に、同じような内容のものをはさみで切り出して、各々袋に入れて分類した。そして三〇ほどに分類された袋の表題をやや大きめの付箋に書き、大きなボードに貼り付けて、全体の構成と流れがひと目で見えるようにした。この方式は私がＮＨＫのドキュメンタリー番組を作るときに常にとっている方法と全く同じものだ。この後、多くの項目を八つほどの章にまとめていく上で畠山氏からもアドバイスをいただいた。こうして構成を作ってから各章をまとめていった。そして、私が全面的に仕上げた章の他の、一、二、三章の部分は、私が分類した袋を畠山氏に渡してまとめていただき、それに私が手を加えて仕上げていった。

六回ものインタビューで同じ話が繰り返され、その各々が微妙に異なり魅力的な部分が分散しているのを一つの話にまとめるのに意外とてこずったが、話の内容が新鮮なため活字になるのが楽しみな作業でもあった。

はじめの膨大な量のインタビューを文字化する労をとってくださった加藤陽一郎氏、池田朋子氏、修正稿を入力してくださった佐々木ひろ子氏、そして校閲をしてくださった畠掘操八氏、こうした方々の協力に厚くお礼を申し上げたい。

この本作りはインタビューも含めて、私にとって、長い間抱いていた疑問やなぞが少しずつ解けていく無上の喜びのときでもあった。最後に、私の遠慮のない質問に優しく辛抱強くかつ丁寧に答えてくださった姉崎等さんに心からの感謝の意を表したいと思う。

二〇〇二年三月　　片山龍峯

文庫版あとがき

アイヌ民族最後のクマ撃ち猟師である著者の姉崎等さんが、昨年一〇月一四日に北海道で亡くなった。享年九〇歳、眠るように穏やかな最期であったことを、長女の渡部さゆりさんからの手紙で知った。アイヌに伝わるクマ撃ちの伝統が途切れたのは、本書を文庫として改めて出す仕事にとりかかった矢先であった。

もう一人の著者である片山龍峯さんは、映像作家として活躍する傍ら、アイヌ語研究のために北海道に通い続けた在野の言語学者でもあった。NHKのドキュメンタリー番組を多数制作しながら、片山さんは、著書『日本語とアイヌ語』（すずさわ書店）で日本語のルーツ研究に一石を投じ、アイヌの文化伝承者の故中本ムツ子さんとアイヌ語の『カムイユカラ（神謡）』のCDを制作した。『アイヌ神謡集』（岩波文庫）の著者、知里幸恵の生誕一〇〇年となる二〇〇三年には、本来のアイヌ語で同書を読めるように解説した『「アイヌ神謡集」を読みとく』（片山言語文化研究所）を上梓。翌二〇〇四年、念願のアイヌ語辞書を編纂中に、アメリカのダラス市で病死された。

著者のお二人が亡くなられたのは残念だが、その言葉は、一二年前と変わらず重い。

単行本が刊行された時期は、北海道のヒグマに対する方針が駆除一本槍から、人間との共存へ転換した直後であった。その頃、全道のヒグマの推定生息数は、一八〇〇～三六〇〇頭（二〇〇〇年）であり、すでに法律で国際的に絶滅のおそれがある種に指定されていた。人間に危害を加える恐れがあるクマを駆除しなければならないが、保護も必要。一見矛盾した事態が社会問題になり始めていた。

北海道がまとめた「ヒグマ捕獲数・被害の状況（昭和三〇年～平成二五年）」には、ヒグマによる農作物被害額が二〇一〇年に史上最高額の一・九億円に達し、翌二〇一一年の捕獲数が八二六頭でピークを示したとある。また、二〇一二年の全道のヒグマの推定生息数は二二〇〇～六五〇〇頭と増えていた。つまり、道が方針転換をして十数年後、ヒグマの生息数が増えた分、人間に危害を加える恐れと農作物への被害が増したのだ。苦慮する北海道は、「北海道ヒグマ保護管理計画」の素案をつくり、今年一月六日までに広く一般から募った意見を反映する試みを始めた。

一筋縄ではいかない難題であり、今後より困難な事態も予想されるが、片山さんが願ったように、本書にある姉崎さんの知識と経験が「新しい形で引き継がれ、生かされること」、それがひいてはヒグマと人間のよりよい関係を築くうえで肝になるのだろう。

二〇一四年一月　構成担当　畠山泰英

解説

遠藤ケイ

私は、野生のクマと至近距離で遭遇したことがある。

私は、十数年前から、新潟の寒村に住み暮らしている。秋田マタギの流れを汲むクマ撃ちの猟師が現存する村である。どんづまりの村の背後には、広大な下田山塊が福島県境まで続いている。自然が深く、クマが多く棲息している。

裏山でクマの足跡や糞があったり、立ち木にクマの爪痕や、高い枝の上のクマ棚を見かけることもある。ネマガリダケ採りに行って、向かいの斜面や、尾根筋を歩いているクマを見かけたこともある。

村では、ときどきクマが人家近くに現れて、毎年何頭か駆除される。クマ肉のお裾分けをいただく機会も多い。だから、クマに対する潜在的な恐怖心が薄い。さらに、我が家は人里離れた山中の一軒家で、完全にクマの棲息域と重なっているという意識が常にあるが、敵対意識というより、隣人というような親近感を抱いてきた。

何せ、我が家の暮らしは、家の床下からイタチやオコジョが顔を出したり、夜にフクロウが家に飛び込んでくるような日常なので、クマが訪ねてきても不思議はない。

だが、まったく予期しない、出会いがしらの遭遇がないとは言えない。お互いの相性が合うとは限らない。もし、クマの機嫌が悪くて襲ってきたらどうするか、という万一の備えは常にしている。

それは、私の恩師の故西根稔さんの教えである。西根さんは、阿仁のマタギのシカリ（親方）で、猟刀フクロナガサを作る鍛冶屋でもあった。私は長年、民俗学を志し、鍛冶職に強い憧憬を抱く身として、両面に渡って教えを受けた。猟に、何度か同行させてもらった。巻き狩りで、勢子の一員としてクマを追ったこともある。仕留めたクマを運び出し、解体を手伝い、肉や内臓を一緒に食った。

西根さんは、クマと一対一で対峙したことが何度かある。だが、「クマはいたずらに人間を襲う動物ではない」と言う。

西根さんのクマと出会ったときの対処法は、まず絶対にあわてて逃げないこと。クマの真正面に立って、目をそらさない。たとえクマが立ち上がっても、手の長さを見切っていれば攻撃をよけられる。そうして、自分の立ち位置を変えていく。そのうちに、こちらに敵意がないことが分かれば、クマの方が自分の逃げ道を見つけて去っていく。あとは、「恐怖心に打ち勝つ胆力次第」だと言われた。

もう一つの備えは、常に猟刀フクロナガサを手近に置いていること。師匠の西根さんと一緒に作ったものだ。フクロナガサは、片刃で切っ先鋭く、柄の部分がフクロ（筒）

状になっている。そこに長い棒をはめると長ヤリになる。秋田マタギは、鉄砲が発達する以前は、それでクマを仕留めた。刺したら手を引かずに、そのまま突っ込んで行く。刃の向きや角度、構え方、狙う急所はしっかり頭に入っている。刃物を自在に扱えるように日頃の鍛錬も怠っていない。山に入るときには、必ずフクロナガサを腰につけ、先を削った枝を杖がわりに持っていく。

私のクマに対する備えは万全であった。しかし、日常が平穏に流れすぎると、いつしか気の弛みが生じる。クマとの遭遇はそんな油断の最中に起きた。数年前の秋の出来事だ。

底冷えのする早朝に、愛犬を連れて山に散歩に出た。開けた山の斜面で遊んでいると、犬が緩やかな尾根に向かって駆け出していった。尾根筋の陰で一瞬、大きな黒い影がチラリと動いた。だが、犬はジッとして吠えもしない。

そのとき、私はまったくの無警戒で犬のあとを追った。そして、鼻歌混じりで斜面を駆け上がり、尾根の上にたどり着いたとき、その足元にクマがいたのである。体長二メートルくらいで、丸々と肥えた大きなクマが、下から見上げている。クマが立ち上がったら手が届く距離だった。まっすぐ目が合った。

「アッ！」と思ったが、声が出ず、体が硬直して動けなかった。フクロナガサは身に帯びていなかったが、あっても抜くことができたかどうか自信がない。動かないまま、ずいぶん長い時間がたったような気がした。やがてクマは、フー、フーと鼻息を鳴らし、頭を下げると、足元の尾根筋に沿って、ドッサ、ドッサと音を立てながら駆け出していった。黒毛に覆われた、逞しい背中が躍動していた。

その後ろ姿が小さくなったとき、突然、我に帰ったように恐怖心がこみ上げてきた。「急にクマの気が変わって、戻ってきたらどうしよう」という思いが頭をよぎった。私は、その場からゆっくりと後ずさりをして、クマが見えなくなったとたんに、一気に斜面を駆け下った。いまにもクマが追いついてきそうで、背筋がゾクゾクした。

私が無事だったのは、騒ぎ立てずに動かなったからかもしれない。また、私が尾根の上に立ち、クマが下から仰ぎ見る形だったので、朝日を背中に浴びて、下からは異様に大きい影に見えたかもしれない。いずれにしても、度胸より、偶然の幸運が勝った。

＊

私が、クマと遭遇したときの体験を長々と書いた。この本を読んで、野生のクマの本性を知って、恐怖心が生々しく甦ったせいだ。

それほどこの本には、北海道のヒグマの生態や、それに立ち向かう狩人の死闘の様子が、鮮やかに描き出されている。しかも、狩人の視点は、いたずらにクマの凶暴性や恐ろしさを強調するのではなく、その底流には、敵対関係を超えた深い慈愛とやさしさがある。ときには、間近かに観察してきた者しか知り得ない、クマの習性に触れて胸を熱くさせられる。

とくに、冬眠の巣穴から出たばかりの親子グマが、一緒に木登りをしたり、仔グマのためだけに雪の斜面に滑り台や、階段を作り。尻滑りをさせて遊ばせる話などは、その現場を木陰から隠れ見る狩人の姿に重ね合わせて想像してしまう。それは、行間から伝わってくる、姉崎さんの実直な人柄のせいだ。

アイヌ民族最後の狩人、姉崎等さんは、一二歳から七七歳まで、六五年にわたって狩人として生きてきた。獲ったクマは単独で四〇頭、集団での猟を合わせると約六〇頭を数える。

姉崎さんは、徹底した観察と実証主義の人だ。「クマが私のお師匠さんです」と、衒《てら》いもなく言い放つ。自分がクマだったら、どう行動するか。山の地形、地質、樹木の植生、気象条件などを徹底的に踏査し、クマに成りきって考える。「クマの心がわからなければクマは獲れない」。クマの深層心理を、自分の血肉にする。

獲ったクマを解体するときも、自分で納得できるように観察する。胃や腸の内容物や消化物でクマの食性や行動ルート、自然環境の変化などが分かる。これまで、あまり知られていなかった、冬眠中の「止め糞」の謎も解明された。これも、他人とは組まない独りハンターの利点だという。

姉崎さんは、秋田マタギの西根さんと同じように、クマの潜在的な凶暴性を否定する。クマはアイヌ語で「キムンカムイ（里山の神様）」という。ヌプリ（奥山）に対してキムは里山を意味する。本来、里に暮らす動物で、遠慮しながら人間のそばで暮らしている。人間が山に入ってクマを見つけられなくても、クマの方は人間を観察して接触を避けている。それでも、偶発的に遭遇したときの対処法が、本のタイトル通りくわしく語られている。

この本は、アイヌ民族最後の狩人の姉崎等さんと、聞き手である片山龍峯さんとのインタビュー形式で構成されている。その片山さんの質問が簡潔な上に、アイヌ民族の伝統文化に対する造詣の深さが滲み出ていて、アイヌ民族の貴重な自然観や、特殊なクマ猟の背景が、スムーズに伝わってくる。また、語り手である姉崎さんの常に真理と本質を追求する真摯な生き方と、そこから導き出される実践的な知識と洞察力に敬服させられる。

そのため、お互いの信頼感が底流にあって、安心感の中に一本芯が貫かれた緊張感が醸し出されている。これまで、アイヌ民族の伝統的なクマ猟について、民俗資料や文献で読むことはできても、現役の狩人が、ナマの言葉で語ることはなかったのではないか。

姉崎さんは、二〇〇一年に銃を手放した。現在、北海道のヒグマ対策は、「駆除」から、里に出たクマを殺さずに山に帰す「防除」に切り替わっている。しかし、クマが帰る山があるのか。

姉崎さんは、「山は生きているようには見えない」と言う。原生林を伐採して、成長の早いエゾマツ、トドマツなどの針葉樹ばかりを植林したために森が分断されてしまっている。針葉樹の森は日が差さず、動物も小鳥も棲めない。ミミズも昆虫もいない。

生きているものには、それぞれの働きがある。「アイヌモシッタ ヤクサクペ シネプカイサム（この世に無駄なものは一つもない）」。アイヌ民族の伝統的な考え方だ。

はたして、人間とクマの共存の方策はあるのか。クマの生息域を隔離し、人間の側にも、山菜やキノコ採り、キャンプ、バーベキューの禁止などの規制が打ち出されているが、事故はなくならない。

「規制をよしんば作っても、クマの方は守るかもしれないけど、人間の方は守らないでしょう」。姉崎さんの言葉が胸に刺さる。

（えんどう・けい　作家）

本書の単行本は二〇〇二年四月に木楽舎より刊行されました。
文庫化にあたり、再編集しています。

ちくま文庫

クマにあったらどうするか
アイヌ民族最後《みんぞくさいご》の狩人《かりうど》　姉崎等《あねざきひとし》

二〇一四年三月十日　第一刷発行
二〇二五年九月二十日　第二十一刷発行

著者　姉崎等（あねざき・ひとし）
　　　片山龍峯（かたやま・たつみね）
発行者　増田健史
発行所　株式会社 筑摩書房
　　　東京都台東区蔵前二―五―三　〒一一一―八七五五
　　　電話番号　〇三―五六八七―二六〇一（代表）
装幀者　安野光雅
印刷所　株式会社加藤文明社
製本所　株式会社積信堂

ISBN978-4-480-43148-6 C0139